208

Anaesthesiologie und Intensivmedizin
Anaesthesiology
and Intensive Care Medicine

vormals „Anaesthesiologie und Wiederbelebung"
begründet von R. Frey, F. Kern und O. Mayrhofer

Herausgeber:
H. Bergmann · Linz (Schriftleiter)
J. B. Brückner · Berlin   M. Gemperle · Genève
W. F. Henschel · Bremen   O. Mayrhofer · Wien
K. Meßmer · Heidelberg   K. Peter · München

F. W. Ahnefeld E. Pfenninger (Hrsg.)

Ketamin in der Intensiv- und Notfallmedizin

Mit 35 Abbildungen und 16 Tabellen

Springer-Verlag
Berlin Heidelberg New York
London Paris Tokyo

Prof. Dr. med. Friedrich Wilhelm Ahnefeld
Zentrum für Anästhesiologie, Klinikum der Universität Ulm
Steinhövelstraße 9, D-7900 Ulm

Priv.-Doz. Dr. med. Ernst Pfenninger
Abteilung für Experimentelle Anästhesiologie der Universität Ulm
Oberer Eselsberg – M 23, D-7900 Ulm

ISBN 3-540-50373-0 Springer-Verlag Berlin Heidelberg New York
ISBN 0-387-50373-0 Springer-Verlag New York Berlin Heidelberg

CIP-Kurztitelaufnahme der Deutschen Bibliothek
Ketamin in der Intensiv- und Notfallmedizin. F. W. Ahnefeld; E. Pfenninger (Hrsg.)
Berlin; Heidelberg; New York; London; Paris; Tokyo: Springer, 1989
(Anaesthesiologie und Intensivmedizin; Bd. 208)
ISBN 3-540-50373-0 (Berlin ...) brosch.
ISBN 0-387-50373-0 (New York ...) brosch.
NE: Ahnefeld, Friedrich W. [Hrsg.]; GT

Die Wiedergabe von Gebrauchsnamen, Handelsnamen, Warenbezeichnungen usw. in
diesem Werk berechtigt auch ohne besondere Kennzeichnung nicht zu der Annahme,
daß solche Namen im Sinne der Warenzeichen- und Markenschutz-Gesetzgebung als frei
zu betrachten wären und daher von jedermann benutzt werden dürfen.

Produkthaftung: Für Angaben über Dosierungsanweisungen und Applikationsformen
kann vom Verlag keine Gewähr übernommen werden. Derartige Angaben müssen vom
jeweiligen Anwender im Einzelfall anhand anderer Literaturstellen auf ihre Richtigkeit
überprüft werden.

Satz und Druck: Zechnersche Buchdruckerei, Speyer
Bindearbeiten: J. Schäffer, Grünstadt

2119/3140-543210 – Gedruckt auf säurefreiem Papier

Vorwort

Die Zielsetzung dieses während des Zentraleuropäischen Anäs-
thesiekongresses 1987 durchgeführten Workshops „Ketamin in
der Intensiv- und Notfallmedizin" bestand einerseits darin, über
Untersuchungsergebnisse, die ein neu erschlossenes Indikations-
gebiet betreffen, zu berichten und andererseits einen bekannten
Indikationsbereich durch Ergänzungen weiter zu differenzieren.

Nach wie vor ist die den Erfordernissen entsprechende Sedierung und Analgesie in der Intensivmedizin wegen der offensicht-
lichen Nebenwirkungen der eingesetzten Medikamente ein unge-
löstes Problem. Einige Arbeitsgruppen haben Ketamin in unterschiedlichen Kombinationen bei Intensivtherapiepatienten eingesetzt und gute Ergebnisse demonstriert. Die damit neu erschlosse-
nen Indikationsbereiche, insbesondere Angaben über die Dosierung des Ketamins und der unterschiedlichen Sedativa, wurden
in einer ausführlichen Diskussion erörtert. Damit ließen sich
Empfehlungen für die Praxis, aber auch für weitere Untersuchungen erarbeiten, v. a. auch die Vorteile gegenüber den bisher eingesetzten Medikamenten präzisieren.

Auch für den Bereich der Notfallmedizin, in der sich Ketamin
seit Jahren bewährt hat, konnten neue Untersuchungsergebnisse
einige wichtige Fragestellungen beantworten, die bekannten Indikationsbereiche bestätigen, aber auch auf neue ergänzende hin-
weisen. Insbesondere die ausführliche und lebhafte Diskussion
ließ das Interesse des Auditoriums, aber auch die praktische Re-
levanz der vorgelegten Ergebnisse erkennen. Insgesamt eine neue
Bestandsaufnahme zu einem bewährten Medikament mit zahlreichen Anregungen für zwei wichtige Teilbereiche unseres Fachge-
biets, die Intensiv- und Notfallmedizin.

Ulm, im November 1988   *F. W. Ahnefeld*

Inhaltsverzeichnis

Verzeichnis
der Referenten und Diskussionsteilnehmer

Dr. H. A. Adams
Abteilung für Anästhesiologie und operative Intensivmedizin,
Klinikum der Justus-Liebig-Universität,
Klinikstraße 29, 6300 Gießen

Prof. Dr. F. W. Ahnefeld
Universitätsklinik für Anästhesiologie,
Klinikum der Universität Ulm,
Steinhövelstraße 9, 7900 Ulm

Dr. I. Blanc
Abteilung für Anästhesiologie, Universitätsklinik Eppendorf,
Martinistraße 52, 2000 Hamburg 20

Dr. M. Brandt
Klinik für Anästhesiologie
der Johannes-Gutenberg-Universität Mainz,
Langenbeckstraße 1, 6500 Mainz

Prof. Dr. W. Dick
Klinik für Anästhesiologie
der Johannes-Gutenberg-Universität Mainz,
Langenbeckstraße 1, 6500 Mainz

Dr. K. Ellinger
Institut für Anästhesiologie und Reanimation,
Fakultät für Klinische Medizin der Universität Heidelberg,
Klinikum der Stadt Mannheim,
Theodor-Kutzer-Ufer, 6800 Mannheim

Dr. O. Emrich
Karolinenstraße 14, 6700 Ludwigshafen/Oppau

Dr. Dr. C. Köppel
Reanimationszentrum Klinikum Rudolf Virchow,
Standort Charlottenburg, Freie Universität Berlin,
Spandauer Damm 130, 1000 Berlin 19

Priv.-Doz. Dr. E. Pfenninger
Universitätsklinik für Anästhesiologie,
Klinikum der Universität Ulm,
Abteilung für Experimentelle Anästhesie,
Oberer Eselsberg – M 23, 7900 Ulm

Dr. D. Schwender
Institut für Anästhesiologie
der Ludwig-Maximilians-Universität München,
Klinikum Großhadern,
Marchioninistraße 15, 8000 München 70

Dr. P. Wengert
Institut für Anästhesiologie und operative
Intensivmedizin des Zentralklinikums Augsburg,
Stenglinstraße 2, 8900 Augsburg

Die postoperative Nachbeatmung – Möglichkeiten der Analgosedierung

E. Pfenninger, K.-P. Bruckmooser, A. Ring-Hägele und J. E. Schmitz

Mit der Vervollkommnung der Anästhesie, der Ausweitung der zur Verfügung stehenden Mittel sowie den verbesserten intraoperativen und postoperativen Überwachungsmöglichkeiten hat sich das Spektrum der chirurgischen Interventionen in den letzten Jahrzehnten enorm erweitert. Dies führte nicht nur dazu, daß Altersgrenzen für bestimmte Eingriffe nicht mehr existieren, sondern auch dazu, daß sich die Operationszeiten drastisch verlängert haben. Lange operative Eingriffe bringen für den Patienten aber mitunter tiefgreifende pathophysiologische Veränderungen mit sich. Nicht nur, daß eine Verschlechterung des pulmonalen Gasaustausches zu beobachten ist, daß Narkotika akkumulieren können oder sich nach Massentransfusionen Leistungseinschränkungen an Leber und Niere zeigen, sondern es kann auch zu einem deutlichen Absinken der Körpertemperatur des Patienten kommen.

Die Erfahrung zeigte nun, daß aus den genannten Gegebenheiten nach längeren operativen Interventionen eine zeitlich begrenzte postoperative Nachbeatmung von Vorteil sein kann, zumindest bis zur Normalisierung der Körpertemperatur. Gerade die Extubation bei erniedrigter Körpertemperatur führt durch das aktive Kältezittern zu einem Anstieg des O_2-Verbrauchs bis auf 800% der Norm und dies in einer Periode, die sowieso durch eine abgesunkene O_2-Sättigung und Störung des Ventilationsmusters gekennzeichnet ist [2]. Langrehr führte kürzlich aus, daß zur postoperativen Nachbeatmung „die Fortführung der Allgemeinanästhesie mit anderen Mitteln" kaum erstrebenswert sei, da daraus eine mehr oder minder vollständige Depression zentral- und periphernervöser Mechanismen resultieren würde. Die Auswahl der geeigneten Sedativa und Analgetika müßte vielmehr darauf ausgerichtet sein, die Eigenregulationsmöglichkeiten des Organismus wiederherzustellen und zu nutzen [10].

Insgesamt ist die Frage, welche Medikamente für eine kürzerfristige Nachbeatmung gewählt werden sollen, ein Problem, das nicht zufriedenstellend gelöst ist. Zwar wird vielfach, abgeleitet von der postoperativen Schmerzbehandlung, eine Kombination aus einem hochpotenten Analgetikum und einem Sedativum angewandt – meist einem Morphinabkömmling und einem Benzodiazepinpräparat –, aber gerade die Kombination der beiden Substanzgruppen kann zu einer unerwünscht langen Atemdepression führen.

Unserer Ansicht nach müßten die auszuwählenden Medikamente während der Nachbeatmungsperiode folgende Forderungen erfüllen:

- gute Steuerbarkeit, d. h. der Patient soll zur gewünschten Zeit extubierbar sein;
- absolute Tubustoleranz;
- ausreichende Sedierung, so daß keine weiteren Medikamente erforderlich sind;
- Schmerzfreiheit oder weitestgehende Schmerzreduktion;
- keine Nebennierensuppression und
- keine Kreislaufdepression.

Nach der Extubation hingegen müssen die verwendeten Medikamente folgendermaßen charakterisierbar sein:

- keine Atemdepression;
- gute Kooperation des Patienten;
- keine psychomimetischen Wirkungen;
- retrograde Amnesie und
- evtl. eine weiterbestehende Analgesie.

Vor allem in den angelsächsischen Ländern wird ein Gemisch aus Lachgas und Sauerstoff zur Analgesie angewandt. Dabei sollen schon 15–25% Lachgas ausreichend sein [12], 50% Lachgas im Inspirationsgemisch seien 10 mg Morphin äquivalent [13], wobei bei akuten somatischen Schmerzen sogar eine höhere Effektivität als durch Morphin erzielbar sei. Wenn man bedenkt, daß längerdauernde Operationen i. allg. in Neuroleptanästhesie oder einer ihrer Variationen durchgeführt werden und daß die verwendeten Medikamente auch postoperativ nachwirken, so ist eine postoperative Nachbeatmung mit einer hohen Lachgaskonzentration durchaus denkbar.

Auf der anderen Seite zeigte sich, daß Ketamin auch in niedriger Dosierung ein hervorragendes Analgetikum darstellt [4, 6, 8], das 1986 von Joachimsson et al. auch zur postoperativen Nachbeatmung vorgeschlagen wurde [8]. Da jedoch Dick et al. [4] zeigten, daß mit Ketamin als Monosubstanz zur postoperativen Analgesie mit weniger befriedigenden Ergebnissen gerechnet werden muß, empfiehlt es sich, Ketamin mit einem Benzodiazepinabkömmling zu kombinieren [4]. Hier bietet sich das neue wasserlösliche, kurzwirksame Midazolam besonders an [11]. Lowry et al. [11] fanden, daß Midazolam zur postoperativen Sedierung dem Diazepam überlegen sei.

Es sollten deshalb in der vorliegenden Studie 3 verschiedene Formen der Analgosedierung auf ihre Eignung zur postoperativen Nachbeatmung untersucht werden: Die i.v.-Gabe von Piritramid/Midazolam, die Beatmung mit einem Lachgas-O_2-Gemisch sowie die i.v.-Gabe von Ketamin/Midazolam.

Patienten und Methodik

60 Patienten, ASA I bis ASA III, die sich entweder einem größeren abdominalchirurgischen oder orthopädischen Eingriff unterziehen mußten, erhielten als Prämedikation sowohl am Vorabend als auch am Operationsmorgen 20 mg

Tranxilium per os. Zur Narkoseeinleitung kamen entweder 4 mg/kg Trapanal oder 0,1 mg/kg Dormicum sowie 5-8 µg/kg Fentanyl zur Anwendung. Die Narkose wurde mit Fentanyl nach Bedarf, N_2O/O_2 (F_IO_2: 0,30) sowie einer Dosis von 0,3-0,5 Vol.-% Isoflurane oder Halothan aufrechterhalten, zur Relaxierung gaben wir Pancuronium.

Postoperativ beatmeten wir die Patienten bis zur endgültigen Stabilisierung der Vitalfunktionen sowie bis zur Euthermie nach. Zur Analgosedierung erhielten die Patienten nach einem offenen Randomisierungsplan entweder initial 100 µg/kg Piritramid und 100 µg/kg Midazolam (Gruppe I), ein Lachgas-O_2-Gemisch (F_IO_2: 0,33) (Gruppe II) oder Ketamin 500 µg/kg und Midazolam 100 µg/kg (Gruppe III). In Gruppe I und III wurde bei Bedarf die halbe Initialdosis nachinjiziert, in Gruppe II Midazolam 100 µg/kg. Unmittelbar postoperativ, vor Extubation sowie 90 min nach Extubation wurden aus arteriellem Blut die Blutgase, die Elektrolyte, Blutzucker und Laktat sowie die Katecholamine bestimmt. Nach der Extubation erhielten alle Patienten – zur besseren Vergleichbarkeit – bei Bedarf das Analgetikum Piritramid i.v.; 24 h später erfolgte eine Nachbefragung der Patienten.

Ergebnisse

Allgemeines

Die Patienten der Gruppe I wurden im Mittel $3,6 \pm 1,6$ h nachbeatmet, die der Gruppe II $3,2 \pm 1,1$ h und die Patienten der 3. Gruppe $2,7 \pm 1,1$ h; die Nachbeatmungszeiten waren nicht signifikant unterschiedlich (Tabelle 1). Auffällig war, daß die Lachgas-O_2-Beatmung bei über der Hälfte der Patienten in Gruppe II nicht ausreichend war und nur durch eine zusätzliche Midazolamgabe eine ausreichende Tubustoleranz erzielt werden konnte. Der durchschnittliche zusätzliche Midazolambedarf belief sich auf ein Drittel bis ein Viertel der Dosis in den anderen Gruppen. Nach Extubation war in Gruppe I der geringste Piritramidbedarf zu verzeichnen, die benötigte Analgetikamenge war in den beiden anderen Gruppen signifikant höher.

Tabelle 1. Analgetika- und Sedativabedarf

Nachbeatmung	Medikamente während Beatmung (pro Patient und Stunde)		Medikamente nach Extubation (pro Patient und Stunde)
I $\quad 3,6 \pm 1,6$ h	Piritramid:	$4,73 \pm 2,50$ mg	Piritramid: $\quad 1,20 \pm 1,40$ mg*
	Midazolam:	$3,50 \pm 1,57$ mg	
II $\quad 3,2 \pm 1,1$ h		–	Piritramid: $\quad 3,21 \pm 4,21$ mg
	Midazolam:	$1,08 \pm 1,91$ mg	
III $\quad 2,7 \pm 1,1$ h	Ketamin:	$22,12 \pm 8,70$ mg	Piritramid: $\quad 2,93 \pm 4,70$ mg
	Midazolam:	$4,57 \pm 2,54$ mg	

* $p \leq 0,05$

Blutgase

Der *arterielle pO₂* lag unmittelbar nach Operationsende mit einem F_iO_2 von 0,33 im Mittel zwischen 128 und 141 mm Hg (Abb. 1). Unmittelbar vor Extubation, schon unter Spontanatmung bei derselben inspiratorischen O_2-Konzentration, war in Gruppe I ein diskreter Abfall zu verzeichnen, der sich nach der Extubation noch verstärkte. 90 min nach Extubation, unter 4 l Sauerstoff über Nasensonde, betrug in dieser Gruppe der pO_2 103 mm Hg, in der Ketamingruppe war der pO_2 mit 125 mm Hg mit dem Ausgangswert identisch. Zum 3. Meßzeitpunkt unterschieden sich die 1. und 3. Gruppe signifikant voneinander. Die Blutgase ohne O_2-Gabe über Nasensonde ergaben in der Piritramidgruppe im Mittel sogar nur einen pO_2 von 61 mm Hg gegenüber ca. 100 mm Hg in den beiden anderen Gruppen.

Der *arterielle pCO₂* zeigte in allen 3 Gruppen vor und nach Extubation einen Anstieg, der zwar im Verlauf signifikant war, aber eher als Normalisierung anzusehen ist, da die Werte im Normbereich blieben (Abb. 2). Ebenso ist das Verhalten des arteriellen pH-Wertes zu deuten, der dem pCO_2 gegenläufig war.

Die *arterielle O₂-Sättigung* blieb für die 2. und 3. Gruppe unverändert, während sie, wie auch der pO_2, unter der Kombination Piritramid/Midazolam abfiel (Abb. 3). Der Unterschied gegenüber der Lachgasgruppe ließ sich statistisch sichern, gegenüber der Ketamingruppe wurde wegen der größeren Streuung das Signifikanzniveau knapp verfehlt.

Kreislaufverhalten und metabolische Parameter

Die *Herzfrequenz* (Tabelle 2) stieg in allen 3 Gruppen gleichermaßen an, wohl als Zeichen einer zunehmenden Wachheit und als Ausdruck der Körpertemperaturerhöhung. Ein eventueller leichter Volumenmangel könnte ebenfalls eine

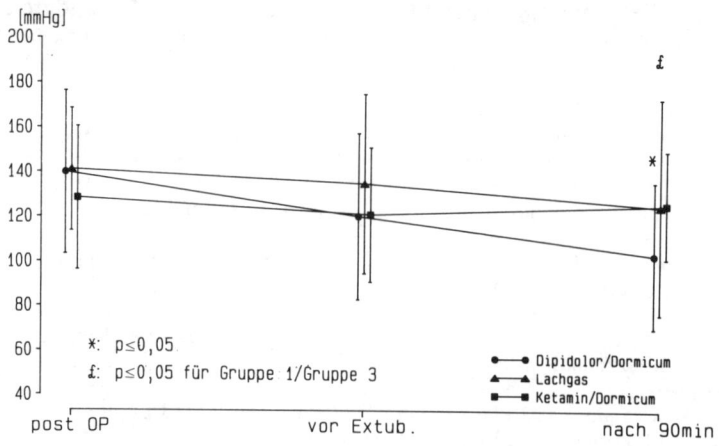

Abb. 1. Das Verhalten des arteriellen pO_2 in den 3 Gruppen während der Beobachtungsperiode. Angegeben sind die Mittelwerte (x̄) sowie die Standardabweichungen (*s*)

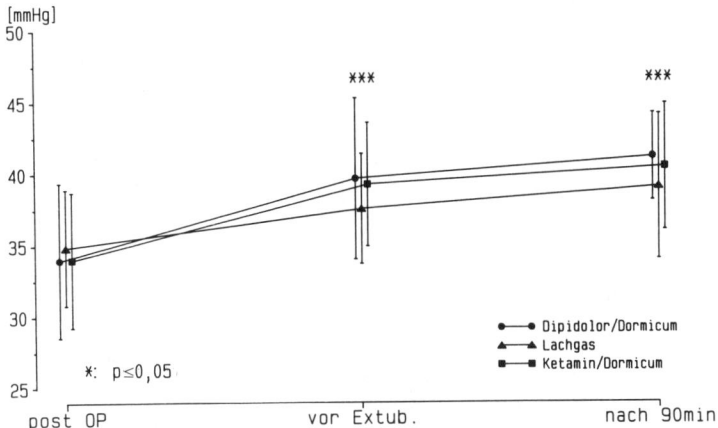

Abb. 2. Das Verhalten des arteriellen pCO_2 während der postoperativen Nachbeatmung und nach der Extubation. Darstellung wie in Abb. 1 ($\bar{x} \pm s$)

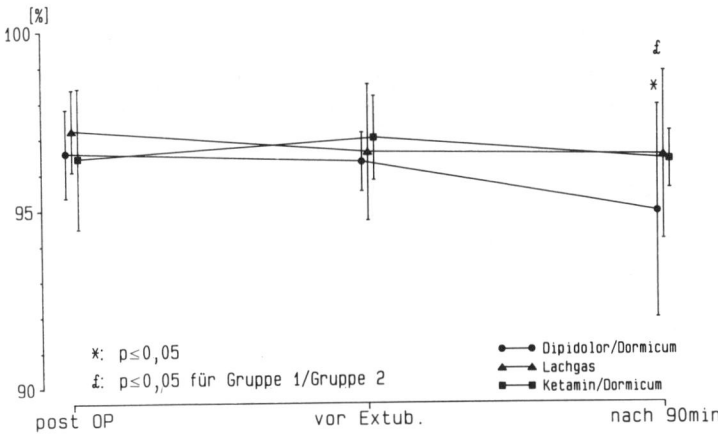

Abb. 3. Mittelwerte und Standardabweichungen der arteriellen O_2-Sättigung (S_aO_2) im Beobachtungsintervall

Rolle gespielt haben, zumal der arterielle Mitteldruck in Gruppe I und III leicht abfiel. In Gruppe II blieb der Blutdruck unverändert.

Der *Elektrolytgehalt* im Blutplasma (Tabelle 3) zeigte keine relevanten Veränderungen; der Natriumgehalt blieb unverändert, das Plasmakalium stieg zwar an, dies kann jedoch nicht gewertet werden, da bei zu niedrigem Plasmakalium Kalium substituiert wurde. Ebenso blieb der *Plasmalaktatgehalt* unverändert. Dagegen war in allen drei Gruppen ein Anstieg des *Blutzuckers* zu beobachten, wobei betont werden muß, daß sowohl intraoperativ als auch postoperativ nur kohlenhydratfreie Lösungen zugeführt wurden. Der Anstieg war in der Ketamingruppe statistisch zu sichern.

Tabelle 2. Kreislaufgrößen

		ZP 1	ZP 2	ZP 3
HR (l/min)	I	87	91	98*
		21	17	15
	II	83	92	100*
		17	22	23
	III	80	90	99*
		13	19	18
MAP (mmHg)	I	109	93	95*
		19	16	10
	II	103	98	102
		18	16	15
	III	105	99	94*
		14	20	18

* $p \leq 0,05$

Tabelle 3. Metabolische Parameter

		ZP 1	ZP 2	ZP 3
Kalium (mval/l)	I	3,8	3,8	3,9
		0,7	0,5	0,5
	II	3,5	3,9	4,0*
		0,5	0,5	0,7
	III	3,6	3,7	4,0*
		0,4	0,6	0,5
Blutglukose (mg %)	I	140	151	151
		45	55	55
	II	138	138	152
		43	40	38
	III	136	152	165*
		22	30	40
Laktat (mmol/l)	I	2,0	2,0	2,0
		1,0	1,3	1,8
	II	1,5	1,7	1,6
		0,7	0,7	0,7
	III	1,9	1,6	1,7
		0,9	0,5	0,7

* $p \leq 0,05$

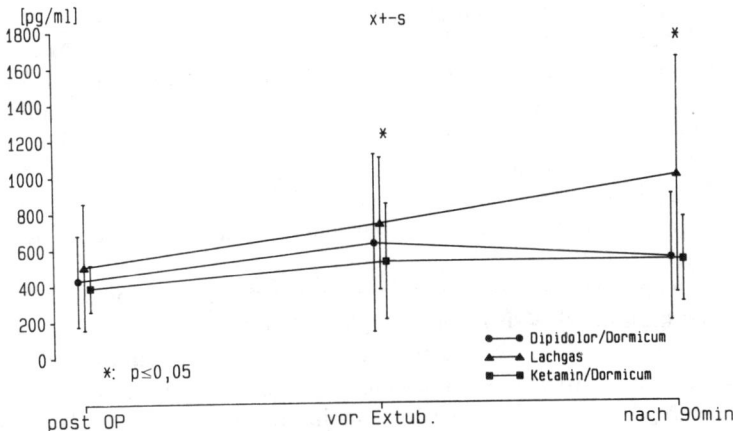

Abb. 4. Noradrenalin im arteriellen Plasma ($\bar{x} \pm s$) unmittelbar nach Aufnahme der Patienten in den Aufwachraum, vor Extubation sowie 90 min nach der Extubation

Auffällig war das Verhalten der *Plasmakatecholamine* in Gruppe II (Abb. 4). Sowohl Adrenalin als auch Noradrenalin lagen vor und nach Extubation signifikant über dem Ausgangswert. So stieg z. B. Noradrenalin in dieser Gruppe von initial 550 pg/ml auf 1190 pg/ml an, während in den beiden anderen Gruppen die Werte praktisch unverändert blieben.

Zwar ergab die Überprüfung auf einen definierten Schmerzreiz keinen Unterschied zwischen den Gruppen, jedoch zeigte sich bei der subjektiven Beurteilung von Vigilanz, Kooperationsbereitschaft und -fähigkeit durch das Pflegepersonal, daß die Patienten der Gruppe II und III nach der Extubation deutlich wacher und kooperationsfähiger waren als diejenigen der Gruppe I. Die Befragung nach 24 h ergab in keinem Fall Erinnerungen an den Beobachtungszeitraum, psychomimetische Nebenwirkungen wurden von keinem Patienten angegeben, ebenso keine Träume.

Diskussion

Zur kurzfristigen postoperativen Nachbeatmung eignen sich prinzipiell alle 3 vorgestellten Verfahren. Jedoch scheint wegen der langen Wirksamkeit und der gegenseitigen Wirkungsverstärkung der Einzelsubstanzen die Analgosedierung mit Piritramid/Midazolam doch einige Nachteile aufzuweisen. Nicht nur, daß die Patienten weniger wach und kooperativ schienen, sondern es kam auch nach der Extubation zu einem signifikanten Abfall sowohl der arteriellen O_2-Spannung als auch der O_2-Sättigung, wobei sich jedoch der pCO_2 in den einzelnen Gruppen nicht unterschied. Catley et al. [2] unterscheiden in der postoperativen Phase 5 mögliche Arten der Atemstörung: zentrale Apnoe, obstruktive Apnoe, paradoxe Atembewegungen, Bradypnoe sowie ein verringertes Atemzugvolumen. Die Autoren sahen unter einer postoperativen Morphinanalgesie alle 5 verschiedenen Störungen gehäuft auftreten, wobei es unerheblich zu sein scheint, ob ein zentral angreifendes Analgetikum als kontinuierliche Infusion oder als Bolus appliziert wird [3]. Bei der kontinuierlichen Überwachung der arteriellen O_2-Sättigung sahen die genannten Autoren postoperativ innerhalb der ersten 16 h bei 10 Patienten insgesamt 456 Episoden mit einem bedrohlichen Abfall der O_2-Sättigung. Sowohl nach der Lachgasanalgesie als auch nach Ketamin/Dormicum konnten wir nur geringe Veränderungen der O_2-Sättigung beobachten.

Lachgas ist ein auch schon in niedriger Konzentration sehr gut wirkendes Analgetikum [5, 9]. Kripke et al. [9] konnten zeigen, daß 15–25% N_2O nach Oberbaucheingriffen den sonst zu findenden Abfall der funktionellen Residualkapazität verhindern können. Für eine postoperative Nachbeatmung scheint die alleinige N_2O-Applikation allerdings nicht ausreichend zu sein, da wir der Mehrzahl unserer Patienten zusätzlich noch Midazolam verabreichen mußten. Trotzdem lagen die Katecholaminspiegel vor der Extubation höher als in den anderen beiden Gruppen und stiegen nach der Extubation trotz Piritramidgabe weiter an. Da die benötigte Piritramidmenge nach der Extubation in derselben Größenordnung wie in der Ketamingruppe lag, kann nur vermutet werden, daß trotz augenscheinlicher Schmerzfreiheit der Patienten eine höhere Analgetikadosis vonnöten gewesen wäre. Ob hierdurch dann allerdings das Kooperationsverhalten sowie die Blutgase negativ beeinflußt worden wären, kann nur diskutiert werden.

Joachimsson et al. [8] beschrieben eine achtstündige postoperative Nachbeatmung unter Ketamindauerinfusion. Jedoch mußte bei 4 von 20 Patienten der N. recurrens zur Tubustoleranz durch ein Lokalanästhetikum blockiert werden. Trotzdem beurteilten die Autoren das vorgestellte Verfahren als positiv. Zwar wurden unsere Patienten im Mittel nicht 8 h nachbeatmet, jedoch war dies bei einzelnen Patienten sogar noch länger der Fall. Mit der Kombination aus Ketamin und Midazolam war die Nachbeatmung problemlos möglich. Soweit sich das an den gemessenen Katecholaminspiegeln abschätzen läßt, scheint der aufgetretene Streß unwesentlich gewesen zu sein. Eine immer wieder in der Literatur beschriebene kardiovaskuläre Stimulation konnte nicht verzeichnet werden, Blutdruck und Pulsfrequenz verhielten sich analog zu den anderen Gruppen. Offensichtlich überwiegt die Sympathikusdämpfung durch den sehr guten analgetischen Effekt des Ketamin über eine mögliche Stimulation. Auch soll Ketamin mehr an den β- als an den α-Rezeptoren angreifen [7], eine Tatsache, die den gefundenen Blutzuckeranstieg in dieser Gruppe erklären könnte. Sowohl der arterielle pO_2 als auch die O_2-Sättigung waren in der Ketamingruppe am konstantesten. Die äußerst geringe Beeinflussung der Atmung durch Ketamin wurde schon vielfach beschrieben, so u. a. auch von Brown [1], der den Fall einer Patientin anführte, die an Schlafapnoe litt und nur unter Ketamindauerinfusion vom Respirator entwöhnt werden konnte. Dick und Mitarbeiter [4] als auch Joachimsson et al. [8] erwähnten psychomimetische Nebenwirkungen sowie Halluzinationen und Träume bei ihren Patienten. Beide Autoren verwandten Ketamin als Monosubstanz. Da wir in dieser Hinsicht bei keinem Patienten Nebenwirkungen beobachten konnten, schreiben wir dies der Kombination von Ketamin mit einem Benzodiazepinabkömmling zu.

Insgesamt glauben wir, unter Berücksichtigung aller untersuchten Parameter sowie des subjektiven Eindrucks, daß die Kombination Ketamin/Midazolam einige Vorteile gegenüber den 2 anderen beschriebenen Analgosedierungsarten aufweist.

Literatur

1. Brown DL (1986) Use of ketamine to wean a patient with sleep apnea. Crit Care Med 14:167–168
2. Catley DM, Thornton C, Jordan C, Tech B, Lehane JR, Royston D, Jones JG (1985) Pronounced, episodic oxygen desaturation in the postoperative period: its association with ventilatory pattern and analgesic regimen. Anesthesiology 63:20–28
3. Catling JA, Pinto DM, Jordan C, Jones JG (1980) Respiratory effects of analgesia after cholecystectomy: Comparison of continuous and intermittent papaveretum. Br Med J 281:478–480
4. Dick W, Knoche E, Gundlach G, Klein I (1983) Klinisch experimentelle Untersuchungen zur postoperativen Infusionsanalgesie. Anaesthesist 32:272–278
5. Goddard JM (1986) Postoperative nitrous oxide analgesia. Anaesthesia 41:915–918
6. Hirlinger WK, Dick W (1984) Untersuchungen zur intramuskulären Ketaminanalgesie bei Notfallpatienten. II. Klinische Studie an traumatisierten Patienten. Anaesthesist 33:272–275
7. Hirschman CA, Downes H, Farbood A (1979) Ketamine block of bronchospasm in experimental canine asthma. Br J Anaesth 51:713–718
8. Joachimsson P-O, Hedstrand U, Eklund A (1986) Low-dose ketamine infusion for analgesia during postoperative ventilator treatment. Acta Anaesthesiol Scand 30:697–702
9. Kripke BJ, Justice RE, Hechtman HB (1983) Postoperative nitrous oxide analgesia and the functional residual capacity. Crit Care Med 11:105–109
10. Langrehr D, Miranda DR, Stoutenbeek CP, Zandstra DF, Saene HKF van (1986) Ketamin-Benzodiazepin-Kombination zur Sedierung von Intensivpatienten. In: Schulte am Esch J (Hrsg) Langzeitsedierung des Intensivpatienten. Zuckschwerdt, München Bern Wien, S 19
11. Lowry KG, Dundee JW, McClean E, Lyons SM, Carson IW, Orr IA (1985) Pharmacokinetics of diazepam and midazolam when used for sedation following cardiopulmonary bypass. Br J Anaesth 57:883–885
12. Parbrook GD (1967) The level of nitrous oxide analgesia. Br J Anaesth 39:974–981
13. Torda TA (1983) Management of acute and postoperative pain. Int Anesthesiol Clin 21:27–46

Längerfristige Analgosedierung von Intensivpatienten. Eine vergleichende Untersuchung Midazolam/Ketamin versus Midazolam/Piritramid

P. Wengert, F. Becker, J. Eckart und J. Zeravik

Einleitung

Patienten einer Intensivstation befinden sich in aller Regel in einem schlechten physischen und psychischen Zustand. Ihre Vitalfunktionen müssen medikamentös und häufig apparativ, z. B. durch maschinelle Beatmung, gestützt werden. Eine wirksame sedierende und analgetische Medikation ist daher nahezu immer erforderlich. Diese sollte die Vitalfunktionen jedoch möglichst wenig oder gar nicht beeinflussen, sondern die Eigenregulationsmöglichkeiten des Organismus sollten eher wiederhergestellt und gefördert werden.

Solche Forderungen an die „ideale" analgosedierende Medikation für Patienten operativer Intensiveinheiten sind aus zahlreichen Publikationen zu diesem Thema bekannt und brauchen im einzelnen hier nicht wiederholt zu werden.

In der operativen Intensivabteilung des Zentralklinikums Augsburg mit ca. 55 Betten auf 4 Stationen kommen wie in anderen gleichartigen Einrichtungen auch abhängig vom individuellen Bedürfnis des Patienten und der Praktikabilität im Stationsbetrieb verschiedene Verfahren der Analgosedierung zur Anwendung. Eine davon, die Analgosedierung mit der Kombination Benzodiazepin/Ketamin, ist nicht unumstritten. Angriffspunkt hierbei ist das Ketamin durch seine Induzierung einer sog. dissoziativen Anästhesie: Während das in seine sensorischen und motorischen Bahnen gegliederte thalamokortikale System deutlich inhibiert wird, werden gleichzeitig im limbischen und retikulären System nebeneinander exzitatorische und inhibitorische Effekte ausgelöst [8].

Die Ketaminapplikation kann deshalb zu traumhaften Angst- und Unruhezuständen führen, die durch die gleichzeitige Applikation eines anxiolytischen Benzodiazepins nicht immer sicher unterdrückt werden. Andererseits zeigt unsere klinische Erfahrung mit einer „subanästhetisch-analgetischen" Dosierung des Ketamins, wie sie für die Langzeitanwendung empfohlen wird, daß in aller Regel mit solchen unangenehmen, traumähnlichen Erlebnissen des Patienten nicht gerechnet zu werden braucht.

Diese überwiegend positiven klinischen Erfahrungen mit Ketamin zur Langzeitanalgosedierung sollten im Rahmen einer vergleichenden Pilotstudie an zunächst 20 Patienten überprüft und kontrolliert werden. Gleichzeitig sollte durch die Studie die allgemeine Brauchbarkeit dieser Langzeitanalgosedierung auch im Hinblick auf ihre Auswirkungen auf andere Organsysteme wie Herz-Kreislauf-Funktion, Ventilation, Darmmotilität und nieren- und leberfunktionsabhängiges Laborwertverhalten überprüft werden.

Dem Ketaminkollektiv wurde ein Piritramidkollektiv gegenübergestellt, das ebenso wie das Ketaminkollektiv als Sedativum Midazolam in der gleichen Dosierung erhielt. Die Analgesie mit Piritramid entspricht dem klassischen und auf Intensivstationen wohl am häufigsten geübten Verfahren, eine Analgesie mit zentralwirksamen, potenten Morphinabkömmlingen zu bewirken.

Piritramid wurde gewählt, weil es eine langanhaltende, zuverlässige Analgesie bewirkt, seine depressorischen Effekte auf Herz und Kreislauf gering sind, eine günstige Relation zwischen analgetischer und atemdepressorischer Wirkung vorliegt, praktisch keine emetischen Wirkungen auftreten [4] und es wie Ketamin über eine große therapeutische Breite verfügt.

Midazolam wurde ausgewählt vor allem wegen des nahezu völligen Fehlens kumulativer Effekte, so daß bei seiner kurzen Halbwertszeit ausgezeichnete Steuerbarkeit – verglichen mit allen anderen Benzodiazepinen – resultiert.

Da es sich um eine offene Vergleichsstudie mit 2 randomisierten Patientenkollektiven handelte, wurde die Erlaubnis dazu von der Ethikkommission des Klinikums eingeholt.

Methode

Patienten
Die Studie wurde in einem Zeitraum von ca. 3 Monaten an insgesamt 20 maschinell beatmeten Patienten in 2 Kollektiven durchgeführt: 10 Patienten mit einem septischen Krankheitsbild der septischen Intensivstation und 10 Patienten der aseptischen Intensivstation mit Polytrauma.

Analgosedierung bei Polytrauma und Sepsis
– Einschlußkriterien: Patienten mit Polytrauma ohne Schädel-Hirn-Trauma oder Patienten mit Sepsis, die bei der Aufnahme auf die Intensivstation beatmet werden müssen;
– Ausschlußkriterien: Hypertonus mit > 180 mm Hg systolisch ohne Sedierung, manifeste Herzinsuffizienz, Gravidität.

Als Ausschlußkriterien galten arterieller Hypertonus (über 180 mm Hg systolisch), manifeste Herzinsuffizienz, Schädel-Hirn-Trauma und Gravidität.

Nach Aufnahme in die Studie wurde jeder der jeweils 10 Patienten randomisiert der Midazolam-Ketamin-Gruppe bzw. der Midazolam-Piritramid-Gruppe zugeordnet. Das Alter der Patienten lag zwischen 17 und 74 Jahren, ihr Geschlecht verteilte sich – zufällig – auf 14 männliche und 6 weibliche Patienten (Tabellen 1 und 2).

Medikation

Midazolam-Ketamin-Gruppe: Die Patienten dieser Gruppe erhielten initial als i.v.-Bolus 10 mg Midazolam und 100 mg Ketamin, an die sich die kontinuierliche Zufuhr über Perfursor von 1000 mg Ketamin/24 h und die diskontinuierliche Applikation von 10 mg Midazolam im 3-Stunden-Intervall anschloß.

Tabelle 1. Analgosedierung bei Sepsis und Polytrauma, demographische Daten der Patienten mit Polytrauma

	Ketanest (n = 5)	Dipidolor (n = 5)
Alter	33 ± 17	47 ± 15
Gewicht	70 ± 14	83 ± 33
Geschlecht		
– männlich	3	4
– weiblich	2	1

Tabelle 2. Analgosedierung bei Sepsis und Polytrauma, demographische Daten der Patienten mit Sepsis

	Ketanest (n = 5)	Dipidolor (n = 5)
Alter	64 ± 10	49 ± 10
Gewicht	70 ± 12	74 ± 9
Geschlecht		
– männlich	4	3
– weiblich	1	2

Midazolam-Piritramid-Gruppe: In dieser Gruppe wurde ebenfalls ein i.v.-Bolus von 10 mg Midazolam und 15 mg Piritramid gegeben, dem die kontinuierliche Zufuhr von 60 mg Piritramid/24 h folgte; Midazolam wurde ebenfalls diskontinuierlich wie in der Vergleichsgruppe appliziert.

Eine notwendige sedierende oder analgetische Zusatzmedikation war im Prüfbogen mit zeitlicher Zuordnung und Begründung festzuhalten. Ebenso wurde verfahren bei Medikamenten mit Wirkungen auf die Herz-Kreislauf-Funktion und den Stoffwechsel.

Untersuchungsparameter

Vor Beginn: Vor Applikation der Prüfmedikation wurden im Prüfbogen vermerkt:

- arterieller Mitteldruck und Herzfrequenz (und – soweit aus klinischer Notwendigkeit ein Pulmonaliskatheter lag – pulmonalarterieller Mitteldruck PAP und pulmonalkapillärer Druck PCP),
- Ventilationsart (kontrollierte maschinelle Beatmung IPPV oder maschinell unterstützte Spontanatmung CPAP/ASB),
- arterielle Blutgase p_aO_2 und p_aCO_2 in Korrelation zur aktuellen inspiratorischen O_2-Konzentration F_IO_2,
- Sedierungsgrad nach dem Glasgow Coma Score,

- Schmerzbeurteilung nach einer Punkteskala (0 = keine, 1 = leicht, 2 = mittel, 3 = stark),
- motorische Aktivität nach einer Punkteskala (0 = ruhig, 1 = unruhig, 2 = sehr unruhig),
- psychisches Verhalten (0 = unauffällig, 1 = auffällig),
- Darmperistaltik (0 = keine, 1 = ja).

Als möglicher Streßparameter wurde ein Kortisolblutspiegel abgenommen und ein allgemeiner Laborstatus (Blutzucker, Laktat, Kreatinin, GOT, GPT, TPZ, PTT, PTZ, Leukozyten, Hämoglobin) erhoben.

Nach Beginn: Nach Beginn der Prüfmedikation wurden während der ersten 6 h die genannten biometrischen Daten stündlich gemessen, dann weiter je nach Laufzeit der Studie im Einzelfall nach 12, 24, 48, 72, 168, 264 h. Außerdem wurde ein täglicher Status im selben Umfang zwischen 7.00 und 8.00 Uhr erhoben.

Kortisolspiegel wurden von Beginn der Prüfmedikation abgenommen nach 3, 6, 12, 24, 48, 72, 168, 264 h, in der Ketamingruppe Ketaminspiegel nach 6, 12, 24, 48, 72, 168, 264 h (immer je nach Dauer im Einzelfall). Ein allgemeiner Laborstatus (wie vor Beginn der Studie) wurde einmal täglich um 7.00 Uhr erhoben.

Die Gabe von peristaltikanregenden Medikamenten (Prostigmin, Takus) wurde in zeitlicher Zuordnung im Prüfbogen registriert.

Ergebnisse

Ketaminblutspiegel (Abb. 1)

Die Ketaminblutspiegel wiesen in beiden Diagnosegruppen während der ersten 24 h große Differenzen auf und zeigten erst danach einen Trend zur Bündelung um einen Wert von ca. 400 ng/ml. Die Ketamindosierung betrug bei allen Patienten 1000 mg/24 h; bezogen auf das Körpergewicht der einzelnen Patienten entsprach diese Dosierung etwa 0,5-0,74 mg/kg/h. In zwei Fällen wurde die kontinuierliche Ketamindosis nach 72 h halbiert, was sich prompt in den Spiegelverläufen ausdrückte.

Bei den septischen Patienten sind nur 4 Ketaminspiegel dargestellt, da ein Patient wider Erwarten vor Ablauf von 24 h extubiert werden konnte.

Kortisolspiegel

Die Kortisolblutspiegelverläufe der einzelnen Patienten der Polytraumagruppe zeigten in 8 von 10 Fällen keine groben Abweichungen von ihrem Ausgangswert vor Beginn der Prüfmedikation. Je ein Patient der Ketamingruppe, dessen Ausgangswert ungewöhnlich hoch war, und ein Patient der Piritramidgruppe zeigten stärkere Verlaufsschwankungen, die deutlich vom sonstigen Verhalten abwichen (Abb. 2).

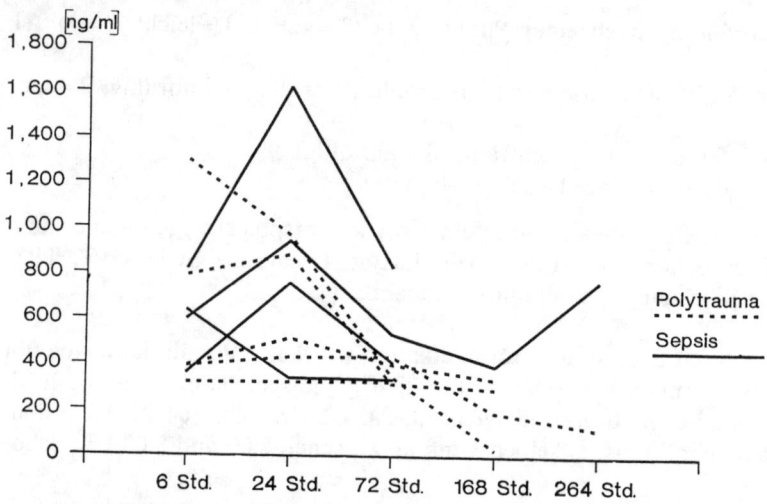

Abb. 1. Analgosedierung bei Polytrauma (n = 5) und Sepsis (n = 4). Plasmakonzentration von Ketaminhydrochlorid

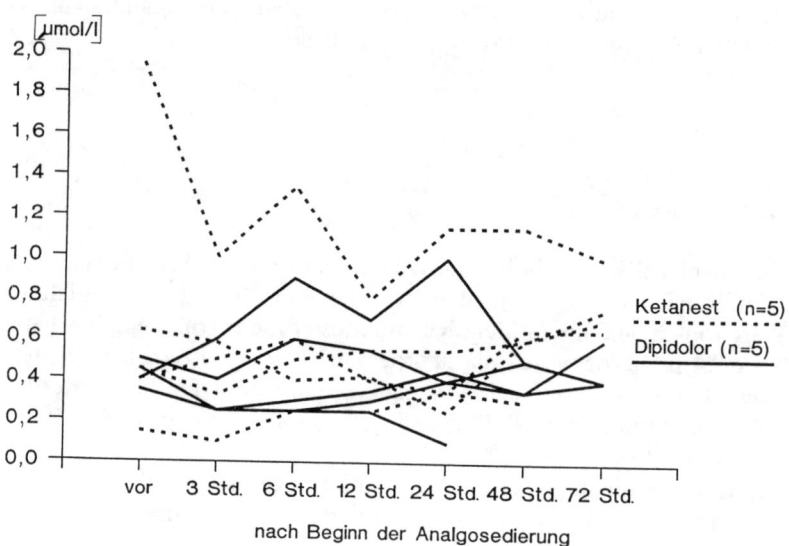

nach Beginn der Analgosedierung

Abb. 2. Analgosedierung bei Polytrauma und Sepsis. Kortisolspiegel bei Patienten mit Polytrauma

Die Kortisolspiegel der septischen Patienten (Abb. 3) zeigten demgegenüber unter Ketamin wie unter Piritramid ganz überwiegend sehr starke Schwankungen.

Bei allen Patienten war ein normaler zirkadianer Rhythmus aufgehoben.

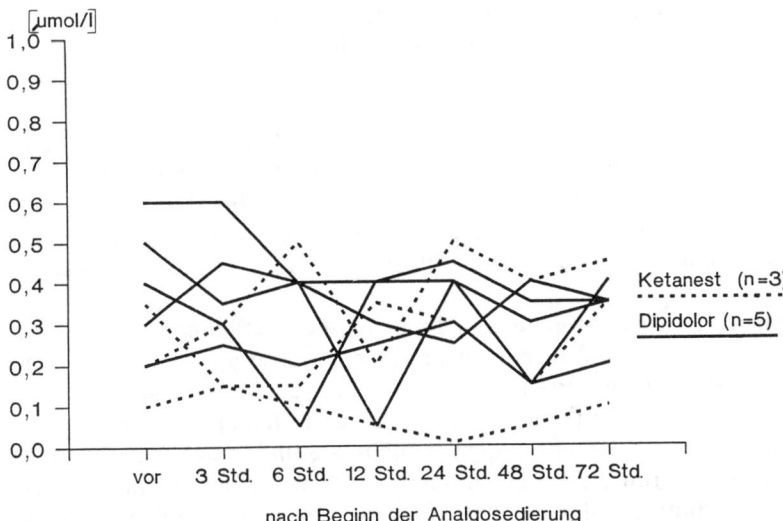

Abb. 3. Analgosedierung bei Polytrauma und Sepsis. Kortisolspiegel bei Patienten mit Sepsis

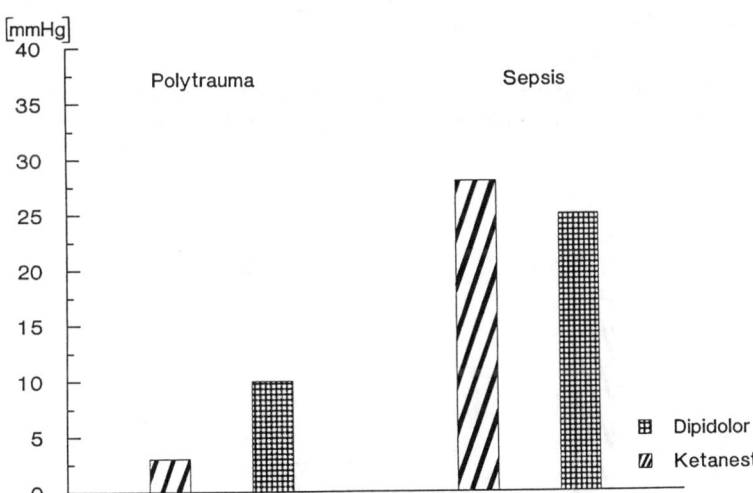

Abb. 4. Analgosedierung bei Sepsis und Polytrauma. Arterieller Mitteldruck (Differenz aus Ende und Beginn der Analgosedierung), arithmetisches Mittel

Herz-Kreislauf

Mittlerer arterieller Blutdruck (Abb. 4): Der mittlere arterielle Druck zeigte bei allen polytraumatisierten Patienten beider Prüfmedikationen keine wesentlichen Veränderungen vom Ausgangswert.

Bei den septischen Patienten hingegen zeigten sich unter beiden Prüfmedikationen im ganzen Verlauf der Studie deutlich höhere arterielle Drücke als vor Beginn der Studie.

Herzfrequenz (Abb. 5): Gleichsinnig war das Verhalten der Herzfrequenz bei polytraumatisierten wie septischen Patienten: abhängig von der Prüfmedikation!
Unter Ketamin war die Herzfrequenz höher, bei den Polytraumatisierten um ca. 20–25%, bei den septischen Patienten um ca. 5%. Unter Piritramid war die Herzfrequenz generell um ca. 20–25% niedriger als die Ausgangsfrequenz.

Dauer der Analgosedierung und maschinelle Ventilation: Die Dauer der Analgosedierung (Abb. 6) in beiden Prüfmedikationsgruppen war in etwa gleich: Bei den Polytraumatisierten betrug sie ca. 4½ Tage, bei den septischen Patienten ca. 6 Tage. Eine Extubation war also unter Ketamin nicht früher zu erzielen als unter Piritramid. Ganz andere Verhältnisse finden sich jedoch, wenn man untersucht, wie früh die Patienten unter der Prüfmedikation von volumenkontrollierter Beatmung auf eine maschinell gestützte Spontanatmungsform umgestellt werden können (Abb. 7).
In der Gruppe der polytraumatisierten Patienten stachen jene hervor, die Ketamin erhalten hatten: Sie konnten nach durchschnittlich 24 h volumenkontrollierter Beatmung auf· eine maschinell gestützte Spontanventilation umgestellt werden. Bei den Piritramidpatienten war dies erst nach durchschnittlich der 3fachen Zeit möglich.
In der septischen Patientengruppe wiesen die Umstellungszeiten unter beiden Prüfmedikationen keine wesentlichen Differenzen auf.

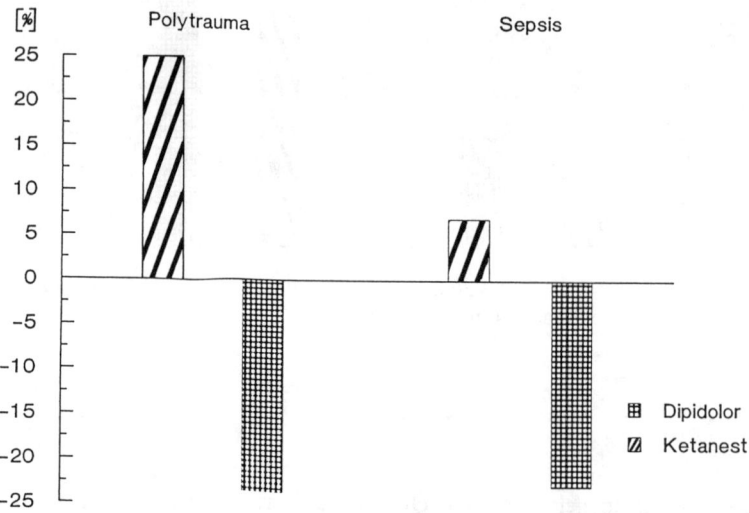

Abb. 5. Analgosedierung bei Polytrauma und Sepsis. Herzfrequenz (Differenz aus Ende und Beginn der Analgosedierung), arithmetisches Mittel

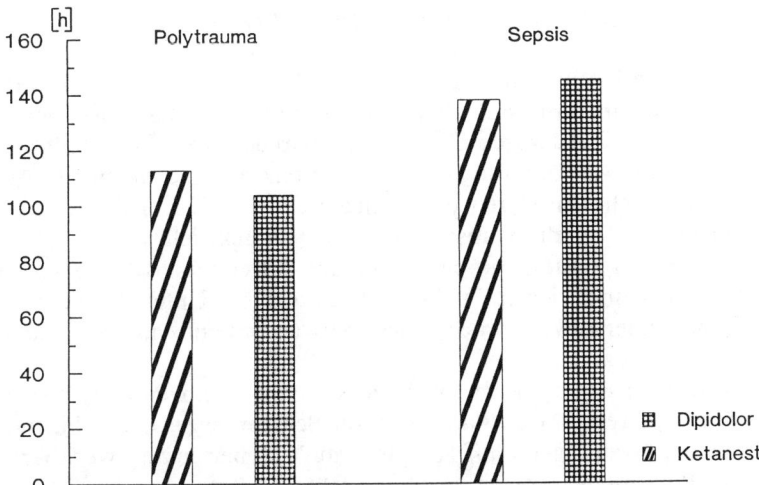

Abb. 6. Analgosedierung bei Sepsis und Polytrauma. Dauer der Analgosedierung

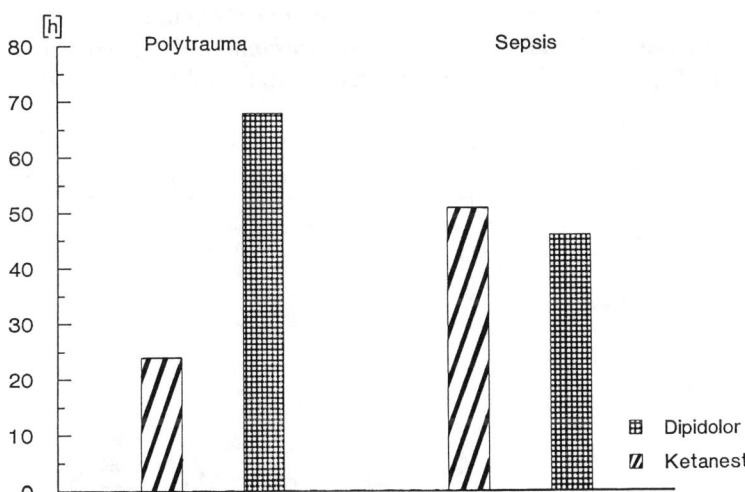

Abb. 7. Analgosedierung bei Sepsis und Polytrauma. Dauer IPPV

Ansprechbarkeit und motorische Antwort (Abb. 8)

Ansprechbarkeit und motorische Antwort oder anders ausgedrückt Erweckbarkeit und Kooperationsfähigkeit wurden nach der Glasgow-Komaskala geprüft. Nach dieser Skala wurde die Ansprechbarkeit danach beurteilt, ob der Patient spontan, auf Aufforderung, auf Schmerzreiz oder gar nicht die Augen öffnete. Die motorische Antwort wurde danach beurteilt, ob er Aufforderungen folgte, Schmerzreize gezielt lokalisierte oder nur zurückwich.

In der Polytraumagruppe waren unter Ketamin 4 Patienten überwiegend wach, einer überwiegend auf Anrede erweckbar. Unter Piritramid waren hier 2 Patienten überwiegend wach, einer überwiegend auf Anrede, 2 nur auf Schmerzreize erweckbar.

In der Sepsisgruppe waren unter Ketamin je ein Patient überwiegend wach oder auf Anrede erweckbar, 2 nur auf Schmerzreize. Unter Piritramid waren 3 Patienten überwiegend auf Anrede, 2 auf Schmerzreize erweckbar.

Bei Prüfung der motorischen Antwort (Abb. 9) fanden sich folgende Ergebnisse: In der Polytraumagruppe waren alle Ketaminpatienten überwiegend in der Lage, Aufforderungen zu befolgen, bei den Piritramidpatienten waren es nur 2, einer konnte lokalisieren, zwei zogen auf Schmerzreize die gereizte Extremität zurück. In der Sepsisgruppe lokalisierten unter Ketamin 2 Patienten, 3 zogen nur die gereizte Extremität zurück. Unter Piritramid befolgten 3 Patienten Aufforderungen, je einer lokalisierte nur oder zog die gereizte Extremität zurück.

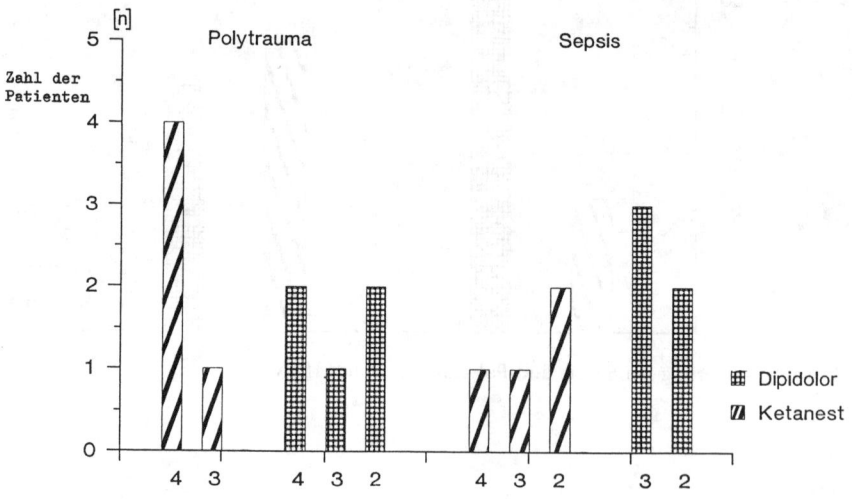

Abb. 8. Analgosedierung bei Sepsis und Polytrauma. Glasgow-Komaskala; minimaler Grad der Ansprechbarkeit (*4*: wach, *3*: auf Anruf erweckbar, *2*: auf Schmerzreiz erweckbar)

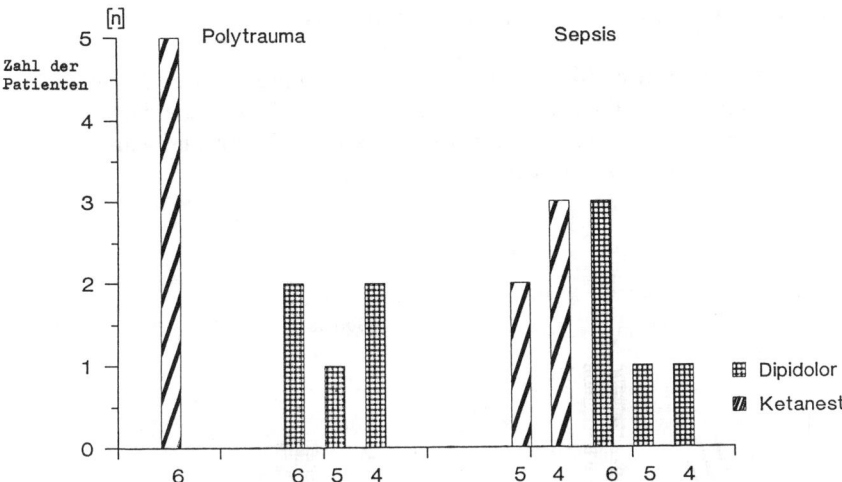

Abb. 9. Analgosedierung bei Sepsis und Polytrauma. Glasgow-Komaskala; minimaler Grad der Motorik (*6*: befolgt Aufforderungen, *5*: lokalisiert auf Schmerzreiz, *4*: weicht auf Schmerzreiz zurück)

Unruhige Motorik während Analgosedierung (Abb. 10)

Ungezielte motorische Unruhe war bei allen Patienten eher selten zu beobachten. In beiden Patientengruppen, der polytraumatisierten wie der septischen, zeigten die Piritramidpatienten etwa doppelt so häufig wie unter Ketamin dieses die Methode eher abwertende Verhalten.

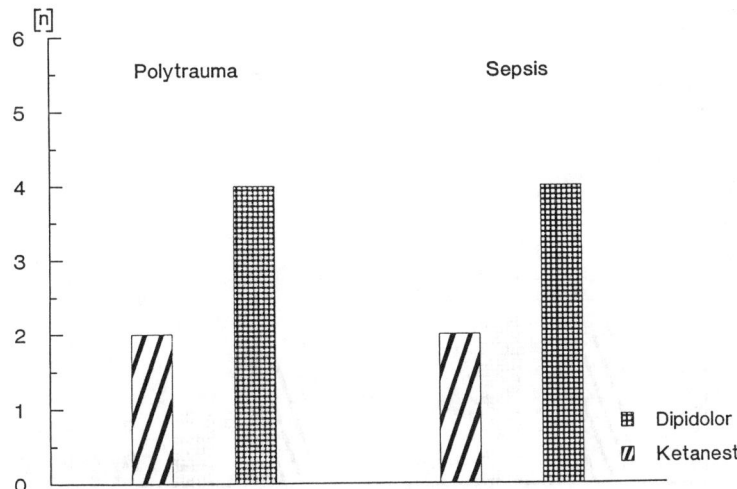

Abb. 10. Analgosedierung bei Sepsis und Polytrauma. Anzahl der Patienten mit unruhiger Motorik während der Analgosedierung

Schmerzen während der Analgosedierung (Abb. 11)

Unter beiden Prüfmedikationen waren die Patienten in der Regel nicht völlig schmerzfrei. In der Polytraumagruppe schien die Schmerzperzeption etwas größer gewesen zu sein als in der Sepsisgruppe. Unter Piritramid waren Schmerzäußerungen geringfügig häufiger als unter Ketamin.

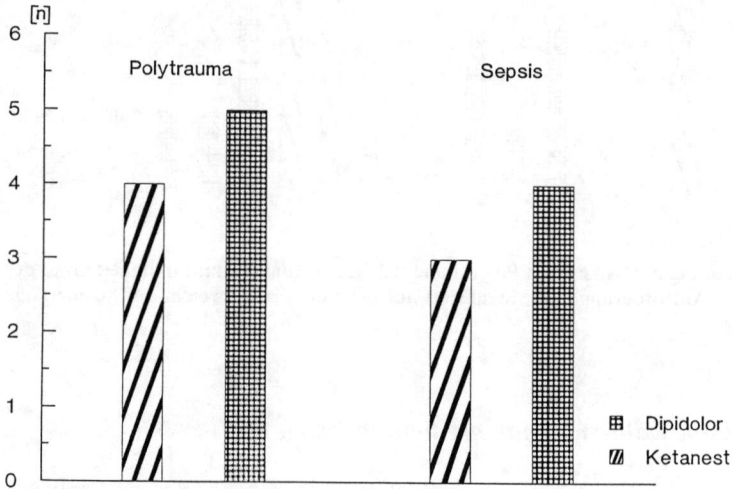

Abb. 11. Analgosedierung bei Sepsis und Polytrauma. Anzahl der Patienten mit Schmerzen während der Analgosedierung

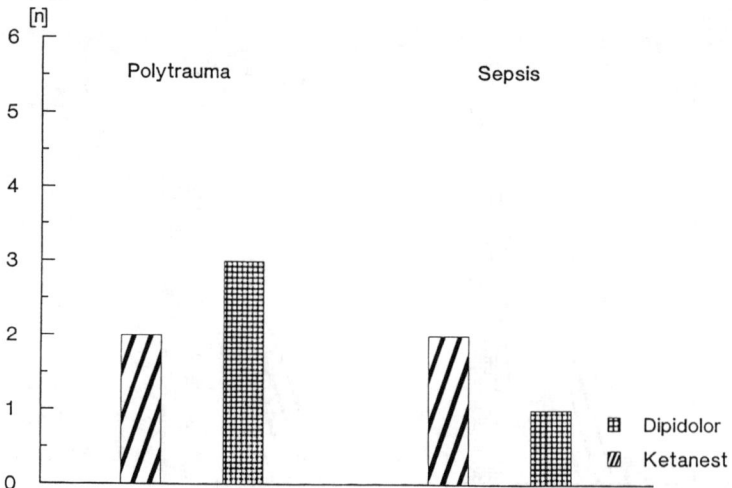

Abb. 12. Analgosedierung bei Sepsis und Polytrauma. Anzahl der Patienten mit auffälligem psychischem Verhalten während der Analgosedierung

Psychisches Verhalten während Analgosedierung (Abb. 12)

Ein auffallendes psychisches Verhalten wurde bei allen Patienten selten proto-kolliert. Die entsprechenden Vermerke bei den Ketaminpatienten hielten sich in beiden Gruppen die Waage, während in der Polytraumagruppe die Piritramid-patienten häufiger, in der Sepsisgruppe weniger häufig im Vergleich zur Ver-gleichsgruppe als psychisch auffallend befundet wurden.

Im Falle eines 17jährigen Mädchens war die Psyche jedoch so drastisch ver-ändert, ähnlich einer typischen ketamininduzierten Aufwachreaktion, daß die Studie nach 2 Tagen abgebrochen wurde. Das psychische Verhalten des Mäd-chens normalisierte sich dann auch innerhalb weniger Stunden, und glücklicher-weise hatte sie keine Erinnerung an diese unangenehmen Erlebnisse.

Darmtätigkeit während Analgosedierung (Abb. 13)

Der Beginn der Darmtätigkeit, protokolliert als auskultierbare Peristaltik, zeigte erhebliche Differenzen zwischen der Polytrauma- und der Sepsisgruppe. Gene-rell kam die Darmtätigkeit in der Polytraumagruppe früher in Gang als in der Sepsisgruppe, in der Polytraumagruppe unter Ketamin etwa doppelt so früh – nach ca. 15 h – wie unter Piritramid.

In der Sepsisgruppe benötigten die Patienten bis zum Wiedererlangen einer Darmtätigkeit unter Ketamin durchschnittlich etwa 63 h, unter Piritramid etwa 45 h.

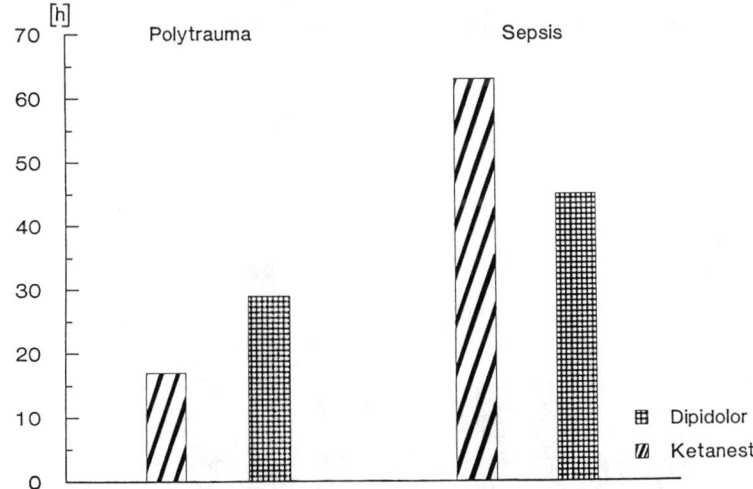

Abb. 13. Analgosedierung bei Sepsis und Polytrauma. Beginn der Darmtätigkeit (h seit Aufnah-me)

Peristaltikabedarf während Analgosedierung (Abb. 14)

Der Verbrauch an Peristaltika wurde nicht bis zum Zeitpunkt auskultierbarer Peristaltik, sondern bis zum Absetzen von Stuhl gerechnet.

Verständlicherweise war er in der Sepsisgruppe deutlich höher als in der Polytraumagruppe. In beiden Gruppen war er unter Piritramid höher als unter Ketamin.

Diskussion

Die Gruppeneinteilung in Patienten mit Polytrauma und solche mit einem septischen Krankheitsbild drückte die Erwartung aus, daß innerhalb einer Gruppe eine gewisse Homogenität hinsichtlich ihres intensivmedizinischen Behandlungsbedarfs gegeben sei. Allerdings sind die Variablen eines beatmungspflichtigen Polytraumas ebenso zahlreich wie die einer septischen Erkrankung. Nicht selten resultiert letztere aus den Folgen eines Polytraumas. Einflüsse, die für die Plasmaclearance eines Medikaments verantwortlich sind, z. B. Veränderungen des Herzzeitvolumens oder der Perfusion von Leber, Niere oder Splanchnikusregion, kommen in beiden Gruppen vor. Intensivpatienten benötigen zur Stützung ihrer Vitalfunktionen in unterschiedlichem Maße Medikamente ganz unterschiedlicher Wirkorte, die alle um Eiweißbindungen konkurrieren und deren Interaktionen vielfach nicht überschaubar sind.

Vor diesem Hintergrund sind Körpergewicht, Alter und Geschlecht eines Patienten für die Dosierung einer analgosedierenden Medikation zunächst von sekundärer Bedeutung. Deshalb wurde in dieser Studie für alle Patienten dieselbe Eintritts- wie Dauermedikation gewählt. Dieses Verfahren bot angesichts eines

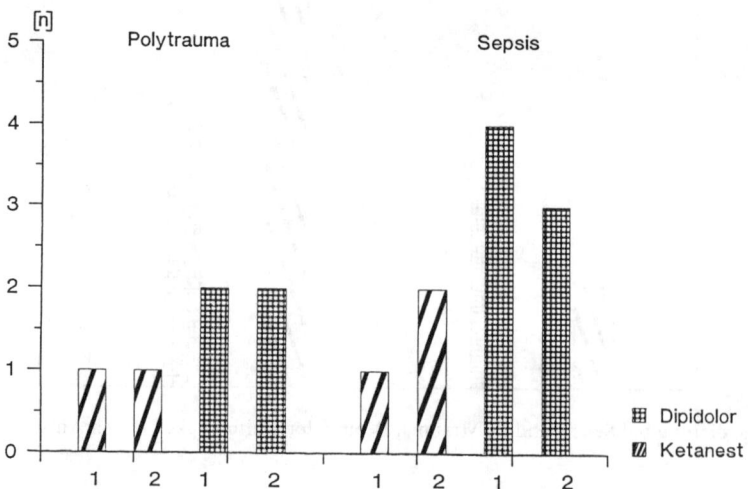

Abb. 14. Analgosedierung bei Sepsis und Polytrauma. Anzahl der Patienten mit darmstimulierenden Therapeutika [Prostigmin (*1*), Takus (*2*)] während der Analgosedierung

zahlreichen, im Schichtdienst arbeitenden Personals ein hohes Maß an therapeutischer Sicherheit und methodischer Praktikabilität. Das Ziel des erweckbaren, schmerzfreien Patienten vor Augen, hätte dann während der laufenden Behandlung die Dosierung nach Wirkung dem individuellen Einzelfall angepaßt werden können.

Die starken Spiegelschwankungen des Ketamins in den ersten 24 h innerhalb beider Diagnosegruppen könnten mit dadurch verursacht worden sein, daß in dieser Phase auch die eigentliche Intensivtherapie begann und die bereits erwähnten Interaktionen von Medikamenten und Volumengabe zum Tragen kam. Eine solche medikamentöse Intensivtherapie ist naturgemäß „geballter" bei den in der Regel „kränkeren" Patienten mit einer Sepsis. Die vielfach ineinandergreifenden Organfunktionsstörungen septischer Patienten mit Aggressionsphasen unterschiedlicher Streßprovokationen mögen auch die relativ starken Kortisolblutspiegelschwankungen innerhalb dieser Gruppe wenigstens zum Teil erklären. Eine Bewertung als endokrine Streßantwort ist allerdings schwierig, da Beziehungen zwischen Kortisolspiegel und äußerlich erkennbarer Streßperzeption im Einzelfall nicht herzustellen waren.

Unter beiden Prüfmedikationen war das Verhalten des mittleren arteriellen Drucks in beiden Kollektiven bemerkenswert stabil. Die besonders deutliche Stabilisierung der mittleren arteriellen Drücke der septischen Patienten gegenüber den Ausgangswerten ist natürlich nicht Verdienst der beiden Prüfmedikationen, sondern der Intensivtherapie mit Katecholaminen und Volumina zuzurechnen. Jedoch zeigten sich unter beiden Prüfmedikationen ganz sicher keine negativen, keine depressorischen Einflüsse auf die Kreislaufstabilisierung.

Bei der Registrierung der Herzfrequenz zeigte sich eine direkte Beziehung zur Prüfmedikation: Unter Ketamin lag sie höher als der Ausgangswert, unter Piritramid niedriger. Eine Steigerung der Herzfrequenz unter Ketamin ist bekannt und auf dessen sympathikomimetische Stimulation zurückzuführen. Die geringe Herzfrequenzsteigerung bei den septischen Patienten unter Ketamin ist auf deren schlechtere Ausgangssituation – häufig mit Schocksymptomatik – zurückzuführen. Die deutliche Abnahme der Herzfrequenz in beiden Gruppen unter Piritramid kann Ausdruck der potenten Schmerzbekämpfung und damit Streßmilderung bei diesen Patienten sein.

Da die Dauer der Analgosedierung unter beiden Prüfmedikationen in beiden Gruppen jeweils in etwa gleich war, sind Spekulationen, die eine oder andere Prüfmedikation könnte den Vorteil einer früheren Extubation bringen, hinfällig.

Vorteilhaft erwies sich Ketamin jedoch in der Gruppe polytraumatisierter Patienten hinsichtlich eines wesentlich frühzeitiger möglichen Übergangs von volumenkontrollierter Beatmung zu maschinell gestützten Spontanatmungsformen, die gewisse Vorteile, z. B. geringere Gefahr eines Barotraumas, geringere Tendenzen zur bronchialen Sekretretention und damit geringere Pneumonierisiken, mit sich bringen. Wesentlich für diesen ventilationstechnischen Vorteil war sicherlich, daß die Ketaminpatienten der Polytraumagruppe einen durchschnittlich wesentlich höheren Grad an Erweckbarkeit und Kooperativität aufwiesen als die Piritramidpatienten dieser Gruppe oder die gesamte septische Patientengruppe, wo ein solcher ketaminabhängiger Vorteil nicht erkennbar war.

Die in dieser Studie verwendeten Dosierungen der analgetischen Prüfmedikationen Ketamin und Piritramid mit durchschnittlich 0,6 mg/kg/h für Ketamin und 0,035 mg/kg/h für Piritramid waren relativ hoch angesiedelt. Literaturempfehlungen [5, 6] für Ketamin liegen beispielsweise bei 0,3 mg/kg/h. Dennoch bestand unter beiden Prüfmedikationen in beiden Gruppen doch immer wieder die Notwendigkeit, analgosedative Zusatzmedikationen zu verabreichen, vor allem dann, wenn pflegerische und medizinische Erfordernisse wie Umlagerungen, Bettenwechsel, Bronchialtoilette, Anlegen von Venenkathetern u. ä. vorzunehmen waren. Aus diesem Blickwinkel waren beide Prüfmedikationen als analgosedierende Basismedikationen zu betrachten, welche die gelegentliche, aber relativ regelmäßige Gabe eines zusätzlichen Analgetikums oder Sedativums nicht ausschlossen. In der Literatur besteht weitgehend Einigkeit darüber, daß unter einer „subanästhetisch-analgetischen" Dosierung von Ketamin unter 1 mg/kg/h mit psychotischen Erlebnissen der Patienten nicht zu rechnen ist. Im Falle eines 17jährigen Mädchens, das 0,74 mg/kg/h Ketamin erhalten hatte, traten aber nach 2 Tagen ketamintypische Halluzinationen auf, die zum Absetzen des Medikaments veranlaßten. Ihre Ketaminspiegel waren dabei mit durchschnittlich 324 ng/ml im Rahmen der Spiegel aller anderen Patienten. Das schnellere Verschwinden des psychotischen Syndroms nach Absetzen von Ketamin wurde als Beweis gewertet, daß Ketamin der auslösende Faktor war. Im Einzelfall, bei individueller Disposition, lassen sich demnach auch unter subanästhetischer Ketamindosierung und Benzodiazepinbegleitmedikation halluzinatorische, traumähnliche Erlebnisse nicht sicher ausschließen.

Bekanntermaßen haben zentralwirksame Analgetika einen motilitätshemmenden Einfluß auf die Darmtätigkeit. So überrascht es nicht, daß Ketamin, von dem solche Wirkung nicht bekannt ist, gegenüber Piritramid Vorteile in bezug auf früheren Wiederbeginn der Darmtätigkeit und niedrigeren Verbrauch an peristaltikanregenden Medikamenten, insbesondere wiederum in der Polytraumagruppe, erzielte.

Fazit

Ein Fazit aus den Ergebnissen einer Pilotstudie mit kleinen Fallzahlen zu ziehen, ist sicher nicht unproblematisch. Immerhin war die Studie geeignet, die bisher an einem großen intensivmedizinischen Patientengut gemachten allgemeinen klinischen Erfahrungen und Eindrücke zu überprüfen und zu dokumentieren.

Als Basisanalgosedierung scheinen beide Prüfmedikationen durchaus geeignet, den Intensivpatienten in einen psychisch gelösten und schmerzarmen Zustand zu versetzen, der auch über längere Zeit eine patientenseitig störungsarme Intensivbehandlung einschließlich maschineller Ventilation erlaubt. Ist das Ziel ein möglichst wacher, kooperativer Patient, kann die analgosedierende Dauermedikation mit Ketamin – zumindest bei einem polytraumatisierten Patientengut – deutliche Vorteile bringen. Eine solche Empfehlung kann auch im Hinblick auf die Darmmotilität gegeben werden. Bei septischen Patienten hingegen verwischen sich die Unterschiede der beiden Prüfmedikationen.

Generell wird man sich auch mit der Analgosedierung flexibel individuellen Bedürfnissen und Reaktionen des Patienten und Krankheitsentwicklungen anpassen müssen, wobei wir alle wissen, daß die beste Analgosedierung die intensive menschliche Zuwendung des Intensivpersonals ist.

Literatur

1. Behne M et al (1987) Midazolam – Dauerinfusion zur Sedierung von Beatmungspatienten. Anaesthesist 36:228–232
2. Referate über Dormicum, ZAK 83 Zürich, Roche
3. Joachimsson P-O, Hedstrand U, Eklund A (1986) Low-dose ketamine infusion for analgesia during postoperative ventilator treatment. Acta Anaesthesiol Scand 30:697–702
4. Knoche E et al (1983) Clinical experimental studies of postoperative infusion analgesia. Clin Ther 5:585–594
5. Kurth M (1983) Anästhesie und Analgosedierung mit Ketamin bei Patienten einer Intensivstation. Anästh Intensivmed 24:270–272
6. Langrehr D et al (1986) Ketamin-Benzodiazepin-Kombination zur Sedierung von Intensivpatienten. In: Schulte am Esch J (Hrsg) Langzeitsedierung des Intensivpatienten. Zuckschwerdt, München Bern Wien, S 47–54
7. Müller H et al (1981) Hämodynamische Wirkungen und Charakteristika der Narkoseeinleitung mit Midazolam. Arzneim Forsch 31 (II):12a
8. Schürmann W et al (1984) Welche Rolle spielt Ketamin in der Notfallmedizin? 10:1435–1448

Ketamin in der Intensivmedizin – Analgosedierung beatmeter Intensivpatienten mit Low-dose-long-term-Ketamin-Midazolam-Kombination in kontinuierlicher Infusion

O. Emrich, R. Klose, M. Steen und J. Büttner

Ziel einer Analgosedierung in der Intensivbehandlung ist, den Patienten vor dem Umgebungsstreß der Intensivstation psychosituativ abzuschirmen, ihm unangenehme Erinnerungen zu nehmen und den Schmerz zu dämpfen, den er permanent und besonders bei notwendigen Manipulationen und Physiotherapie empfindet. Schmerz und seelisches Leiden sind Faktoren, die zur Entgleisung vegetativer Funktionen führen können. Erhöhung des sympathischen Tonus, negative Beeinflussung hämodynamischer Parameter, Erhöhung des O_2-Verbrauchs, Behinderung der Atmung bzw. der Beatmung und evtl. Anstieg des intrakraniellen Drucks sind mögliche Folgen.

Die medikamentöse Analgesie und Sedierung greift somit an entscheidenden Stressoren in der intensivmedizinischen Versorgung an [4]. Zahlreiche Medikamente wurden und werden zu diesem Zweck auf Intensivstationen eingesetzt, ohne daß sich jedoch bislang ein einheitliches Konzept hätte durchsetzen können. Wir setzen z. Z. für die Analgosedierung sowohl die Kombination von Fentanyl oder Alfentanil mit Midazolam als auch die Kombination von Ketamin mit Midazolam ein. Um ein mögliches Auf und Ab im Erleben von Schmerz und seelischem Leid zu verhindern, wie es bei intermittierender Medikamentengabe nach Bedarf geschehen kann, bevorzugen wir die kontinuierliche Infusion, die bei schmerzhaften Manipulationen und Physiotherapie durch Bolusgaben ergänzt wird.

Die Anwendung von Ketamin in der Intensivtherapie schien bislang wenig populär, doch mehren sich seit dem ersten Bericht von Ito im Jahre 1974 [9] die

Dosierungsangaben zur Analgosedierung mit Ketamin bei Intensivpatienten Literaturübersicht

Autor	Ketamin [mg/kg/h]
Kurt (1983) [14]	0,3–0,5
Nimmo u. Macrae (1983) [17]	ca. 0,18
Shetty et al. (1986) [18]	0,2–0,8
Joachimsson et al. (1986) [11]	0,7–1,4
Langrehr et al. (1986) [15]	0,1–0,5
Brost u. Tzanova (1987) [2]	0,3–0,5

Hinweise für die Eignung von Ketamin für die Analgosedierung [2, 3, 11, 14, 15, 18], zumal wegen seiner bekannt geringen Toxizität und großen therapeutischen Breite [6]. Ein Überblick über die Dosierungsangaben für die Analgosedierung mit Ketamin zeigt, daß die Dosierungen z.Z. stark variieren. Sie schwanken zwischen 0,1 und 1,4 mg/kg/h.

Gefunden werden muß die individuell der jeweiligen Situation angepaßte Dosis. Eine klare Definition, ab welcher Dosierung nicht mehr von Low-dose-Applikation gesprochen werden kann, besteht nicht [10]. Immerhin beginnen die Dosierungsangaben für Infusionsnarkose bei 2 mg/kg/h [5, 8, 21, 24] und enden bei 8 mg/kg/h [12].

Die angestrebten Ziele der Analgosedierung, Schmerzfreiheit und psychische Abschirmung, aber auch Adaptation an den Respirator und andere Erfordernisse der Intensivtherapie, sind nicht mit einer starren Dosierungsempfehlung weder für die Kombination von Ketamin und Midazolam noch für ein anderes Regime zu erreichen. Die Blutspiegel von Ketaminhydrochlorid und dem Hauptmetaboliten Norketamin zeigen demzufolge auch eine erhebliche interindividuelle Streubreite. Nach Nimmo u. Macrae liegt der Beginn der analgetischen Wirkung des Ketamins bei 150 ng/ml Plasmaspiegel und der Beginn der anästhetischen Wirkung bei 640 ng/ml [17]. Ein analgetischer Steady state von 200 ng/ml wurde durch Infusion von 0,18 mg/kg/h erreicht.

Die bisher verfügbaren Angaben über Dosis-Wirkungs-Beziehungen der Ketaminanalgesie beziehen sich jedoch allesamt auf ein allgemein- und unfallchirurgisches Krankengut und beschränken sich auf kürzere Therapiezeiträume von Stunden bis Tagen. Wir möchten über erste Erfahrungen mit einem Ketamin-Midazolam-Schema berichten, das bei schwerverbrannten, ateminsuffizienten Patienten über einen Zeitraum von Wochen bis Monaten eingesetzt wird. Verwendet wird eine fixe Mischung von Ketamin und Midazolam im Gewichtsverhältnis 10:1.

Die Dosisfindung für eine Fixkombination birgt sicherlich ihre eigene Problematik. Wir haben uns dabei an den Angaben von Kreuscher zur kombinierten Anwendung von Ketamin und Midazolam im Rahmen der Tranquanalgesie II orientiert [13]. Nach Gabe eines Bolus von 60 mg Ketanest plus 6 mg Midazolam liegt unsere mittlere Erhaltungsdosis bei etwa 1,7 mg/kg/h Ketamin, die nach dem Grad der Analgosedierung nach oben oder unten korrigiert wird, selten jedoch über 3 mg/kg/h Ketamin. Diese Erhaltungsdosis wird empirisch am minimal effektiven Bedarf des Patienten ermittelt, wobei zunächst auffällt, daß v.a. in der ersten Behandlungswoche die Infusionsrate gesteigert werden mußte. Dies gilt für die Kombination Rapifen plus Midazolam genauso wie für Ketamin plus Midazolam. Kontrolliert beatmete Schwerverbrannte benötigen in der Regel zur adäquaten Analgosedierung Ketaminplasmaspiegel zwischen 500 und 2000 ng/ml. Die interindividuelle Schwankungsbreite ist erheblich.

Die Plasmaspiegel liegen in der Regel deutlich in dem von Nimmo u. Macrae [17] angegebenen anästhetischen Wirkungsbereich. Nach der 1. Woche ergibt sich ein erneuter Mehrbedarf nur bei gravierender Verschlechterung des Zustandsbildes, wie z.B. bei Sepsis.

Die Erklärung für diesen Befund, Dosisanpassung zur Erhaltung einer klinisch beurteilten Wirkkontinuität, kann in einer gesteigerten Metabolisierung des Ketamins und seiner wirksamen Metaboliten liegen, denn der Steady state einer kontinuierlichen Applikation ist allein bestimmt durch die Relation von Infusionsrate und totaler Clearance [17]. Immerhin konnte gezeigt werden, daß beim Verbrennungspatienten eine differente Pharmakodynamik für viele Substanzen (Aminoglykoside, Phenytoin) besteht [16]. Enzyminduktion in der Leber wäre ein möglicher Mechanismus, denn Ketamin beschreitet ähnliche Abbauwege wie die Barbiturate [23].

Die Schmerzwahrnehmung bei Schwerverbrannten scheint ohnehin Besonderheiten aufzuweisen [16], so daß wir feststellen können, daß der Schmerzmittelbedarf des allgemein- oder unfallchirurgischen Intensivpatienten in der Regel weit unter den von uns angegebenen Dosierungen für den Schwerverbrannten liegt. Daraus folgt, daß die potentielle Nebenwirkungsrate beim unfallchirurgischen Patienten von vornherein niedriger veranschlagt werden kann. Andererseits legt die relativ hohe Dosierung über lange Zeiträume bei unseren Patienten eine besonders kritische Würdigung der Ketaminbegleitwirkungen nahe. Der Einsatz von Ketamin kann nur dann als unbedenklich gelten, wenn bezüglich Pharmakokinetik und Nebenwirkungsrate einige wichtige Forderungen erfüllt sind, die aber grundsätzlich an alle Formen der Analgosedierung gerichtet werden müssen.

Pharmakokinetisch eignen sich die Substanzen Ketamin und Midazolam wegen ihrer kurzen Eliminationshalbwertszeiten von 2,5–3 h bei Ketamin und etwa 2,5 h für Midazolam [17] hervorragend zur Kombination und genügen der Forderung einer guten Steuerbarkeit. Praktisch weisen unsere Plasmaspiegelbestimmungen in diese Richtung.

Bislang konnten wir dem Ketamin keine nachteiligen kardiozirkulatorischen Effekte nachweisen. Die Midazolamkomponente hat eine abschwächende Wirkung auf die bekannten sympathomimetischen Ketamineffekte [22], so daß insgesamt ein eher kreislaufstabilisierendes Wirkprofil resultiert [14, 15]. Jedoch unterscheiden sich diesbezüglich Ketamin und Alfentanil nach unseren bisherigen Befunden nicht wesentlich.

Eine für die Behandlung des kritisch Kranken sicherlich ungünstige Nebenwirkung wäre die mögliche Druckerhöhung im kleinen Kreislauf [7, 19]. Tarnow u. Hess berichten über drastische Anstiege des Pulmonalarterienmitteldrucks um durchschnittlich 16% während Narkoseeinleitung mit Ketamin als Monoanästhetikum [20]. Diese ließen sich allerdings mit Benzodiazepin kupieren. Die erhöhten pulmonalarteriellen Drücke unserer beatmeten Patienten ließen sich nicht eindeutig auf die Ketaminwirkung zurückführen. Im Verlauf einer Sepsis, bei Extravasation und Rückresorption des Verbrennungsödems sind erhöhte Pulmonaldrücke ohnehin die Regel. Darauf haben unterschiedliche Analgosedierungskonzepte nach unseren Erfahrungen keinen Einfluß. Für eine endgültige Aussage benötigen wir allerdings noch weitere harte Daten. Interessant ist, daß Bodai et al. im experimentellen Endotoxinschock mit Ketamin sogar erhöhte Pulmonalisdrücke senken konnten [1].

Insgesamt messen wir den sympathomimetischen Kreislaufwirkungen des niedrig dosierten Ketamins in Verbindung mit Midazolam nur eine marginale Bedeutung zu, die dem breiten Einsatz dieser Kombination nicht widerspricht.

Die Kombination Ketamin/Midazolam behindert nicht die Entwöhnung vom Respirator, sie erfordert per se keine Beatmung des Patienten. Wir verwenden unser Analgosedierungsschema auch bei Nichtbeatmeten in einer Dosierung von in der Regel 2–4 ml/h bis ausnahmsweise maximal 10 ml/h. Das entspricht für einen Normalgewichtigen etwa 0,5–2,9 mg/kg/h Ketamin.

Im Vergleich zu Opioiden erwarten wir darüber hinaus keine Interaktion mit der Magen-Darm-Motorik des Patienten, so daß die enterale Ernährung der Patienten mit Ketaminanalgosedierung früher möglich sein sollte. Allerdings fehlt uns auch hierfür bislang der statistische Beweis. Die psychomimetischen Nebenwirkungen des Ketamins sind bekannt. Noch Wochen nach seiner Anwendung sind sog. Out-of-body-Erlebnisse, Illusionen, „weird trips", delirähnliche Zustände, „flash backs" u. a. beschrieben [23]. Im narkotischen Dosisbereich ruft Ketamin in bis zu 80% der Fälle Träume und in bis zu 40% der Fälle Unruhephänomene hervor [23]. Diese Phänomene sehen wir nach Low-dose-Langzeitanwendung selten. Bei zu raschem Ausschleichen oder Absetzen der Analgosedierung haben wir jedoch auch ausgeprägte Verwirrtheitszustände mit Desorientiertheit, Unruhe und Schlafstörungen beobachtet. Midazolam setzt zwar wie alle anderen Benzodiazepine die Häufigkeit und Ausprägung psychotomimetischer Ketaminwirkungen herab [22], jedoch sind auch nach langer Benzodiazepinanwendung Entzugssyndrome beschrieben. So ist im Einzelfall nur schlecht zu klären, welche Komponente der Analgosedierung für eine Aufwachreaktion verantwortlich gemacht werden kann, zumal auch andere Medikamente in der Intensivtherapie zentralnervöse Phänomene verursachen können, und es sollte kein Zweifel daran bestehen, daß allein schon die lange Intensivtherapie psychotische Zustände produzieren kann.

Über Wechselwirkungen mit der Vielzahl von Medikamenten, die bei der Intensivtherapie Verwendung finden, ist außerordentlich wenig bekannt. Beschrieben sind Interaktionen zwischen Cimetidin und Diazepam sowie Ranitidin und Midazolam [10]. Sie betreffen einen verzögerten Abbau und Wirkungsverstärkung des Benzodiazepins durch den H_2-Antagonisten. Nach White hemmen Benzodiazepine den Ketaminabbau in der Leber [23]. Allerdings fehlen hier spezielle Hinweise auf die Kombination von Ketamin mit Midazolam.

Die Analgosedierung von beatmeten Intensivpatienten ist eine herausragende Aufgabe. Im Rahmen einer Langzeitanalgosedierung bieten sich zur Erhaltung einer Wirkkontinuität Infusionsschemata von Opioid/Benzodiazepin oder Ketamin/Benzodiazepin an.

Einen Vorteil von subnarkotisch dosiertem Ketamin sehen wir in der fehlenden oder positiven Wirkung auf das respiratorische und kardiozirkulatorische System sowie in der Kooperativität des Patienten. Die wesentlichen Nebenwirkungen des Ketamins werden durch Benzodiazepine abgeschwächt oder aufgehoben, so daß die Kontraindikationen für die monotherapeutische Ketaminanwendung für die Kombinationen mit Midazolam und die Niedrigdosierung nur noch relativ zu sehen sind. Schließlich ist die hohe Akzeptanz des dargestellten Schemas bei Pflegekräften und Ärzten hervorzuheben.

Dosierung – Ketanest/Dormicum

Füllmenge für Infusomat: 2000 mg Ketanest + 200 mg Dormicum auf 100 ml auffüllen (G 5%)

Füllmenge für Perfusor: 1000 mg Ketanest + 100 mg Dormicum auf 50 ml auffüllen (G 5%)

Initiale Dosierung: 6 ml/h

Im Bedarfsfall wird bei ungenügender Analgosedierung ein Bolus (3 ml) der Mischung gegeben.

Bolus = 3 ml = 60 mg Ketanest + 6 mg Dormicum

						Ketamin [mg/kg/h]*
minimal	1 ml	=	20 mg Ketanest	+	2 mg Dormicum	0,3
	2 ml	=	40 mg Ketanest	+	4 mg Dormicum	0,6
	3 ml	=	60 mg Ketanest	+	6 mg Dormicum	0,9
	4 ml	=	80 mg Ketanest	+	8 mg Dormicum	1,1
	5 ml	=	100 mg Ketanest	+	10 mg Dormicum	1,4
	6 ml	=	120 mg Ketanest	+	12 mg Dormicum	1,7
	7 ml	=	140 mg Ketanest	+	14 mg Dormicum	2,0
	8 ml	=	160 mg Ketanest	+	16 mg Dormicum	2,3
	9 ml	=	180 mg Ketanest	+	18 mg Dormicum	2,6
maximal	10 ml	=	200 mg Ketanest	+	20 mg Dormicum	2,9

* Angaben umgerechnet für 70-kg-Patient

Literatur

1. Bodai BI, Harms BA, Nottingham PB, Zaiss C, Demling RH (1983) The effect of ketamine on endotoxin-induced long injury. Anesth Analg 62:398–403
2. Brost F, Tzanova I (im Druck) Postoperative Langzeitanalgosedierung. Intensivbehandlung 12
3. Cirota N (1978) The long term use of ketamine in subanaesthetic dosis for the burnt patient. S A Congress Summery of Scientific Programm, p 20
4. Crocier T (1986) Der Einfluß der Analgesie auf die Streßantwort. In: Kettler D, Crocier T, Metzler H (Hrsg) Analgesie in der Anästhesie. Urban & Schwarzenberg, München Wien Baltimore
5. Dick W, Knoche E (1982) Untersuchungen zur Midazolam-Ketamin-Kombination für kurz- und längerdauernde Eingriffe. In: Langrehr K (Hrsg) Ketamin und Benzodiazepin-Kombination in der Anästhesie. Perimed, Erlangen
6. Dudziak R (1983) Anforderungen an Medikamente in der Prämedikation. In: Götz E (Hrsg) Midazolam in der Anästhesie. Roche, Grenzach-Wyhlen
7. Gassner S, Cohen M, Aygen M, Levy E, Ventura E, Shasdi J (1974) The effect of ketamine on pulmonary artery pressure, an experimental and clinical study. Anaesthesia 29:141
8. Idvall J, Ahlgren I, Aronsen KF, Stenberg P (1979) Ketamine infusions: pharmacokinetics and clinical effects. Br J Anaesth 51:1167

9. Ito Y, Ichiyanagi K (1974) Post-operative pain relief with ketamine infusion. Anaesthesia 29:222
10. Jeevendra M (1986) Pharmacology and drug therapy in burns. Anesthesiology 65:67
11. Joachimsson PD, Hedsteand U, Eklund A (1986) Low dose ketamine infusion for analgesia during postoperative ventilator treatment. Acta Anaesthesiol Scand 30:697
12. Knoche E (1984) Wirkungsprofil von Midazolam, Stellung im Rahmen von Kombinationsnarkosen. In: Götz E (Hrsg) Midazolam in der Anästhesiologie. Roche, Grenzach-Wyhlen
13. Kreuscher A (1984) Die kombinierte Anwendung von Midazolam mit Ketamin – Tranquanalgesie II. In: Götz E (Hrsg) Midazolam in der Anästhesiologie. Roche, Grenzach-Wyhlen
14. Kurth M (1983) Anästhesie und Analgosedierung mit Ketamin bei Patienten einer Intensivstation. Anästhesie und Intensivmedizin 24:270
15. Langrehr D, Miranda DR, Stoutenbeek CP, Zandstra DF, Saene HKF van (1986) Ketamin-Benzodiazepin-Kombination zur Sedierung von Intensivpatienten. In: Schulte am Esch J (Hrsg) Langzeitsedierung des Intensivpatienten. Zuckschwerdt, München Bern Wien
16. Marvin JA, Heimbach DM (1985) Pain control during the intensive care phase of burn care. In: Thomas L, Wachtel E (eds) Critical care clinics, vol 1. Saunders, Philadelphia London Toronto
17. Nimmo WS, Macrae WA (1983) Sedation and analgesia. In: Ledingham I, Haming CD (eds) Recent advances in critical care medicine 2. Livingstone, Edinburgh London Melbourne New York
18. Shetty GK, Kelsall PG, Ryan DW (1986) Long-term ketamine infusion. Anaesthesia 41:1262
19. Spotoff H, Korshin JD, Sorensen MB (1979) The cardiovascular effects of ketamine used for induction of anaesthesia in patients with vascular heart disease. Can Anaesth Soc J 26:463
20. Tarnow J, Hess W (1979) Flunitrazepam-Vorbehandlung zur Vermeidung kardiovaskulärer Nebenwirkungen von Ketamin. Anästhesist 28:468
21. Weinreich AI, Silvay G, Lumb PD (1980) Continuous ketamine infusion for one lung anaesthesia. Can Anaesth Soc J 27:485
22. White PF (1982) Comparative evaluation of intravenous agents for rapid sequence induction: theopental, ketamine and midazolam. Anesthesiology 57:279
23. White PF, Way WL, Trevor AJ (1982) Ketamine – Its pharmacology and therapeutic doses. Anesthesiology 56:119
24. Wilson RD, Richey JV, Forestner JE, Hendrickson MH, Herrin TJ, Norman PF (1979) Cardiovascular effects of drip ketamine. Anesthesiology 51:35

Untersuchungen zur sedativ-analgetischen Medikation beatmungspflichtiger Intensivpatienten

H. A. Adams, J. Biscoping, W. Russ, A. Thiel und G. Hempelmann

Einleitung und Fragestellung

Die sedativ-analgetische Medikation beatmungspflichtiger Intensivpatienten gehört zu den nur unbefriedigend gelösten Problemen der anästhesiologischen Arbeitswelt. Trotz regelmäßig sich ablösender „Standardverfahren" reagieren nicht wenige Patienten nur unzureichend auf den gewählten Therapieansatz oder werden durch die Nebenwirkungen der Medikation unerwartet beeinträchtigt. Klinische Studien gestalten sich durch die Vielfalt der zugrundeliegenden Erkrankungen und durch das extrem inhomogene Patientengut schwierig. Auch die hier vorzustellenden Ergebnisse müssen unter diesen Einschränkungen betrachtet werden.

Ziel der Studie war es, durch Erfassung endokriner, neurologischer, hämodynamischer und klinischer Parameter verläßliche Daten zur Beurteilung der sedativ-analgetischen Medikation beatmungspflichtiger Intensivpatienten zu gewinnen. Im gleichen Zusammenhang sollte die z. Z. angewandte Routinemedikation aus Fentanyl/Midazolam/Pancuronium mit einem weiteren Therapieschema, bestehend aus Ketamin/Midazolam/Pancuronium, verglichen werden. Besonderes Augenmerk wurde auf die klinische Praktikabilität sowie auf die Herausarbeitung etwaiger gezielter Indikationen für die einzelnen Verfahren gelegt.

Patienten und Methodik

Patienten, Gruppeneinteilung

Es wurden insgesamt 16 Patienten einer operativen Intensivstation untersucht, die voraussichtlich für mindestens 48 h beatmet werden mußten.

Ausschlußkriterien waren:

- Alter unter 18 Jahren,
- Schädel-Hirn-Trauma zweiten oder dritten Grades,
- weniger als 6 Monate zurückliegender Myokardinfarkt,
- manifeste Angina pectoris,
- exzessiver Hypertonus mit systolischen Blutdruckwerten über 180 mm Hg.

Nach Untersuchung einer Pilotgruppe zur Gewinnung von Basisdaten unter Routinemedikation mit Fentanyl wurden die Patienten randomisiert folgenden Gruppen zugeteilt:

1) *Fentanylgruppe:* Fentanyl/Midazolam/Pancuronium, intermittierende Gabe nach klinischen Erfordernissen. Als Anhalt galten: Fentanyl 0,2 mg/h, Midazolam 2,5 mg/h, Pancuronium etwa 2 mg/h.
2) *Ketamingruppe:* Ketamin-/Midazolam-Perfusor, Pancuronium intermittierend. Initialdosis Ketamin 1,5 mg/kg KG, Midazolam 0,1 mg/kg KG als Bolus. Danach Ketamin 50 mg/h und Midazolam 2,5 mg/h über Perfusor, Pancuronium ebenfalls ca. 2 mg/h.
Die Perfusorspritze enthielt 1200 mg Ketamin (24 ml zu 50 mg) und 60 mg Midazolam (12 ml zu 5 mg). Bei einer Infusionsrate von 1,5 ml/h wurden demnach 36 ml dieser Lösung über 24 h appliziert. Dosisanpassungen erfolgten nach den jeweiligen klinischen Erfordernissen.

Parameter

Es wurden folgende Parameter bestimmt:

- Adrenalin, Noradrenalin und Dopamin im Plasma (HPLC/ECD),
- ADH, ACTH, Kortisol (RIA),
- Glukose, Laktat, freies Glyzerin („Streßmetaboliten"),
- „Routinelaborwerte",
- EEG-Spektralanalyse (Frequenzbänder und Compressed Spectral Array),
- Hämodynamik (Pulmonaliskatheter),
- klinische Beobachtungsskala mit Wachheitsgrad und Adaptation an die Beatmung,
- Ketaminplasmaspiegel (GC).

Tabelle 1. Klinische Beurteilungsskala für Adaptation an die Beatmung und für Wachheitsgrad

Adaptation	Beurteilungs-wert	Wachheit
Problemlose Beatmung	4	Leicht erweckbar, kooperativ
Würgen oder Husten	3	Schwer erweckbar, eingeschränkt reagierend
Deutliches Gegenatmen	2	Nicht erweckbar, Reaktion auf Schmerzreiz
Extubationsversuch	1	Nicht erweckbar, keine Reaktion auf Schmerzreiz

Meßzeitpunkte

Alle Patienten wurden bis zum Meßzeitpunkt 8.00 Uhr des ersten Tages wie die Kontrollgruppe mit Fentanyl behandelt. Danach erfolgte die Abnahme des Ausgangswerts sowie die Gruppenzuordnung. Zwischenzeitlich notwendig werdende Eingriffe sollten als Opiatnarkose durchgeführt werden; dies wurde jedoch nur bei einem Patienten der Fentanylgruppe notwendig. Bei 2tägiger Beobachtung und 6stündlichen Meßintervallen ergaben sich für die hormonellen Parameter, die „Streßmetaboliten" und die Ketaminspiegel im Plasma pro Patient 9 Meßzeitpunkte. Die hämodynamischen Parameter wurden im Abstand von 12 h, die EEG-Ableitungen im Abstand von 24 h ausgewertet. Die klinische Bewertung von Adaptation und Wachheit (Tabelle 1) erfolgte 2stündlich. Die sog. Routinelaborwerte wurden einmal zu Ende der Beobachtungsperiode einem Gruppenvergleich unterzogen.

Ergebnisse

Allgemeines (Tabelle 2)

Die untersuchten Patientengruppen waren im Hinblick auf Geschlechtsverteilung, Alter, Größe, Gewicht und zugrundeliegende Erkrankungen vergleichbar.

Tabelle 2. Biometrische Daten und Erkrankungen der untersuchten Patienten

Parameter	Fentanylgruppe	Ketamingruppe
Anzahl (n)	8	8
Männer/Frauen	5/3	7/1
Alter (Jahre)	18–73	20–61
Mittelwert	49	37
Körpergröße (cm)	160–186	165–186
Mittelwert	173	176
Körpergewicht (kg)	65–100	55–100
Mittelwert	78	77
Erkrankungen (n):		
Peritonitis/Sepsis	3	4
Polytrauma	2	2
Nekrotisierende Pankreatitis	1	2
Unterkühlung, Reanimation	1	
Lungenresektion, respiratorische Insuffizienz	1	

Plasmakatecholamine (Tabelle 3)

Bei der Beurteilung der Noradrenalin- und Adrenalinspiegel (Abb. 1) ist zu berücksichtigen, daß 3 Patienten bei Aufnahme in die Ketamingruppe aus Gründen der Kreislaufstabilisierung auf die Zufuhr von exogenen Katecholaminen angewiesen waren; 2 Patienten erhielten initial (Meßzeitpunkt 0) noch Adrenalin- und Noradrenalin über Perfusor; nach Umsetzen der Medikation auf Ketamin konnten diese Katecholamine eingespart werden. Bei einem 3. Patienten

Tabelle 3. Noradrenalin, Adrenalin und Dopamin im Plasma, geometrische Mittelwerte und Streubreite

Zeit [h]	Gruppe	Noradrenalin [pg/ml]	Adrenalin [pg/ml]	Dopamin [pg/ml]
0	Fentanyl	588	99	25890
		211–1542	4– 739	13270– 51490
	Ketamin	899	539	20290
		379–1957	251–1150	10490– 49660
6	Fentanyl	447	67	19510
		127–1263	4– 553	10440– 41050
	Ketamin	729	289	15490
		269–1163	49– 835	9611– 27130
12	Fentanyl	531	101	20400
		144–2467	34– 512	9596– 35600
	Ketamin	630	219	14540
		385–1269	40–1343	8817– 32380
18	Fentanyl	528	127	23000
		72–2391	8– 980	6972– 81250
	Ketamin	727	183	13870
		223–1331	43–1869	1821– 27000
24	Fentanyl	573	143	24880
		326–1674	19– 491	13680– 46860
	Ketamin	674	192	11310
		332–1158	18–1045	2761– 47860
30	Fentanyl	529	60	12210
		297–1759	9– 625	398– 72560
	Ketamin	685	176	12500
		261–1596	29–1148	2457– 30230
36	Fentanyl	651	87	12880
		294–2738	22– 307	5367– 31230
	Ketamin	673	252	15080
		238–1487	24–3125	9515– 23510
42	Fentanyl	678	107	18860
		421–2710	21– 676	3491– 60450
	Ketamin	699	164	16880
		259–1723	39–3413	5170– 38430
48	Fentanyl	568	72	25280
		355–2178	5– 893	12910–102900
	Ketamin	624	138	7808
		267–1193	31– 964	3951– 20190

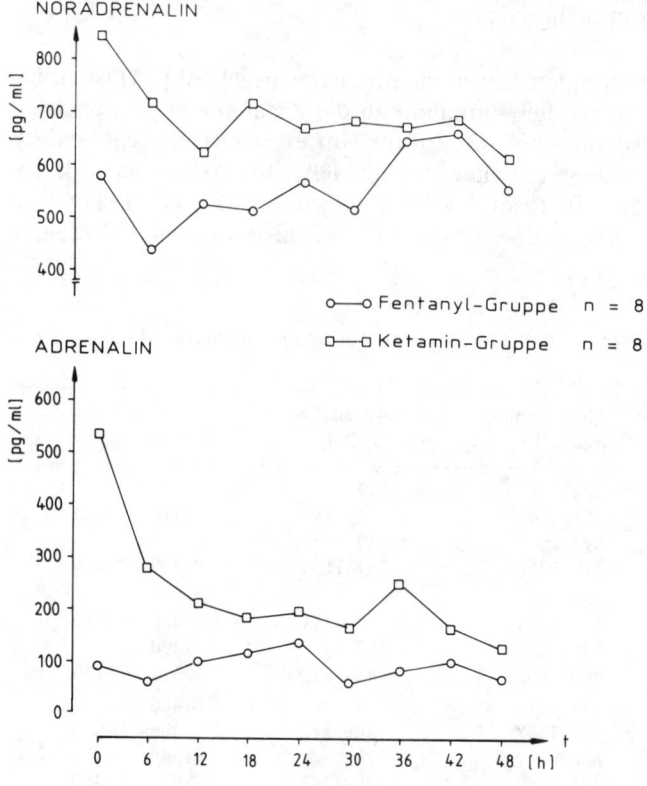

Abb. 1. Verlaufskurven für Noradrenalin und Adrenalin im Plasma, geometrische Mittelwerte

mit alleiniger Zufuhr von Adrenalin konnte die Dosis im Verlauf reduziert und am folgenden Tag ebenfalls eingespart werden. Die Adrenalinwerte dieses Patienten sind in der Kurve (s. Abb. 1) nicht enthalten.

Die Noradrenalinkonzentrationen waren in beiden Gruppen stark erhöht und überschritten den Normbereich um das 2- bis 3fache. Die Adrenalinwerte der Fentanylgruppe verblieben durchgehend im Normbereich. In der Ketamingruppe waren die Adrenalinkonzentrationen aus den genannten Gründen besonders initial deutlich erhöht, im weiteren Verlauf kam es zu einer weitgehenden Annäherung der Werte in beiden Kollektiven. Die Dopaminspiegel waren mit Gruppenmittelwerten von 19 676 pg/ml im Fentanyl- und 13 770 pg/ml im Ketaminkollektiv ebenfalls vergleichbar, allerdings lag der Verbrauch in der Ketamingruppe tendenziell niedriger. Die gemessenen Konzentrationen beruhten ganz überwiegend auf der exogenen Zufuhr über eine Infusion mit 200 mg Dopamin/24 h. Für alle Katecholamine im Plasma konnten weder Gruppen- noch Verlaufsunterschiede statistisch gesichert werden.

ADH, ACTH und Kortisol (Tabelle 4)

Alle untersuchten Hypophysen- und Nebennierenhormone verblieben durchgehend im Normbereich (Abb. 2). Die ADH-Konzentrationen fielen im zeitlichen Verlauf signifikant ab, die Veränderungen für ACTH und Kortisol waren unbedeutend. Gruppen- oder Verlaufsunterschiede bestanden nicht.

Tabelle 4. ADH, ACTH und Kortisol im Plasma, geometrische Mittelwerte und Streubreite

Zeit [h]	Gruppe	ADH [pg/ml]	ACTH [pg/ml]	Kortisol [ng/ml]
0	Fentanyl	3,2 2,0– 8,9	16,7 12,0– 27,9	228 76–411
	Ketamin	3,7 2,0– 8,4	25,4 15,2– 47,3	323 233–462
6	Fentanyl	2,9 2,0– 7,0	19,5 13,4– 34,0	185 57–332
	Ketamin	3,1 2,0– 7,6	19,3 11,9– 47,7	254 150–392
12	Fentanyl	2,8 2,0– 5,8	23,8 13,6–134,4	176 93–302
	Ketamin	4,3 1,0–10,7	21,1 12,0– 41,7	254 192–309
18	Fentanyl	2,2 2,0– 2,9	23,9 14,5–113,7	217 117–399
	Ketamin	2,9 1,0– 6,8	22,1 15,0– 43,8	234 150–376
24	Fentanyl	2,7 2,0– 6,9	21,4 12,0–106,3	160 82–334
	Ketamin	3,0 2,0– 6,3	20,2 14,2– 57,7	227 148–371
30	Fentanyl	2,6 2,0– 4,8	20,0 12,0– 84,4	181 88–362
	Ketamin	2,7 2,0– 3,7	22,2 14,6– 49,8	250 167–346
36	Fentanyl	2,7 2,0– 4,1	22,9 14,1– 70,4	181 98–303
	Ketamin	2,2 1,0– 3,1	22,6 14,1– 46,2	249 138–494
42	Fentanyl	2,8 2,0– 4,8	20,1 12,0– 77,2	189 90–380
	Ketamin	2,2 1,0– 4,0	19,9 12,9– 50,8	264 139–407
48	Fentanyl	2,3 2,0– 3,6	21,9 13,9– 72,8	176 104–287
	Ketamin	1,9 1,0– 2,2	22,4 13,6– 48,0	273 188–429

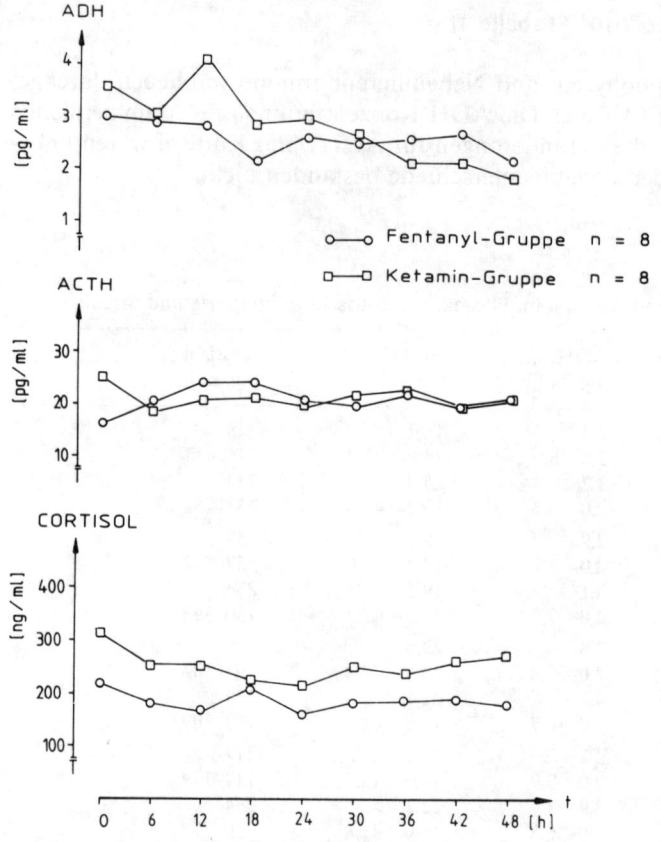

Abb. 2. Verlaufskurven für ADH, ACTH und Kortisol im Plasma, geometrische Mittelwerte

„Streßmetabolite" (Tabelle 5) *und* „Routinelabor"

Für die „Streßmetabolite" Glukose, Laktat und freies Glyzerin waren keine statistisch faßbaren Veränderungen nachweisbar. Die Glukosekonzentrationen waren zu allen Zeitpunkten deutlich erhöht. Die Laktatspiegel zeigten nur geringfügig erhöhte Werte, während die Konzentrationen des freien Glyzerins den Normbereich nicht überschritten.

Der Vergleich der routinemäßig erhobenen Laborparameter (Na, K, Ca, PTT, Thrombinzeit, Thrombozytenzahl, Hb, Hk, Leukozytenzahl, GOT, GPT, γ-GT, Gesamtbilirubin, Kreatinin und Harnstoff) gegen Ende der Meßperiode ergab mit Ausnahme eines niedrigen Quick-Wertes in der Ketamingruppe (67/88%) ebenfalls keine statistisch faßbaren Unterschiede.

Tabelle 5. „Streßmetabolite" (Glukose, Laktat und freies Glyzerin); arithmetische Mittelwerte ($\bar{x}$) und Standardabweichung (s)

Zeit [h]	Gruppe	Glukose [mg/dl] $\bar{x}$ s	Laktat [mmol/l] $\bar{x}$ s	Freies Glyzerin [mg/dl] $\bar{x}$ s
0	Fentanyl	258 ± 83	1,99 ± 0,90	1,33 ± 0,41
	Ketamin	296 ± 140	1,90 ± 0,99	1,13 ± 0,15
6	Fentanyl	264 ± 68	2,07 ± 0,98	1,64 ± 1,45
	Ketamin	337 ± 157	1,90 ± 0,64	0,98 ± 0,16
12	Fentanyl	285 ± 93	2,34 ± 0,92	1,56 ± 1,42
	Ketamin	337 ± 152	2,06 ± 0,44	1,07 ± 0,38
18	Fentanyl	327 ± 122	1,85 ± 0,74	1,04 ± 0,22
	Ketamin	356 ± 106	2,32 ± 0,52	1,08 ± 0,61
24	Fentanyl	312 ± 97	1,78 ± 0,58	1,39 ± 0,67
	Ketamin	338 ± 119	2,14 ± 0,40	1,19 ± 0,55
30	Fentanyl	284 ± 119	1,99 ± 0,55	1,68 ± 0,90
	Ketamin	316 ± 132	2,11 ± 0,33	1,41 ± 0,70
36	Fentanyl	375 ± 185	2,00 ± 0,69	1,50 ± 0,47
	Ketamin	319 ± 170	2,11 ± 0,41	1,37 ± 0,35
42	Fentanyl	308 ± 153	1,65 ± 0,56	1,25 ± 0,39
	Ketamin	327 ± 148	2,20 ± 0,39	1,13 ± 0,29
48	Fentanyl	274 ± 134	1,74 ± 0,46	1,15 ± 0,51
	Ketamin	282 ± 114	1,79 ± 0,42	0,90 ± 0,14

Tabelle 6. Gesamtaktivität und Frequenzbänder der EEG-Spektralanalysen von 6 Patienten der Fentanyl- und 5 Patienten der Ketamingruppe. Geometrische Mittelwerte und Streubreite

Parameter	Gruppe	0 h	24 h	48 h
Gesamtaktivität [pW]	Fentanyl	67 27–162	67 39–175	52 23–131
	Ketamin	105 36–167	95 41–304	119 47–296
α-Aktivität [pW]	Fentanyl	8 3– 18	9 3– 30	8 3– 51
	Ketamin	12 6– 26	19 6– 51	16 11– 40
β-Aktivität [pW]	Fentanyl	6 2– 33	5 3– 13	4 3– 10
	Ketamin	28 9– 89	22 7– 88	25 8–110
δ-Aktivität [pW]	Fentanyl	33 8–116	34 12–161	20 9–120
	Ketamin	44 14–109	36 17–136	58 14–103
ϑ-Aktivität [pW]	Fentanyl	11 5– 46	10 7– 23	10 4– 30
	Ketamin	14 7– 28	11 4– 29	13 7– 43

EEG-Spektralanalysen (Tabelle 6)

Bei 6 Patienten der Fentanyl- und 5 Patienten der Ketamingruppe konnten EEG-Spektralanalysen zu den genannten Meßzeitpunkten ausgewertet werden (Abb. 3 und 4). Alle Patienten zeigten eine weitgehend verminderte Aktivität im

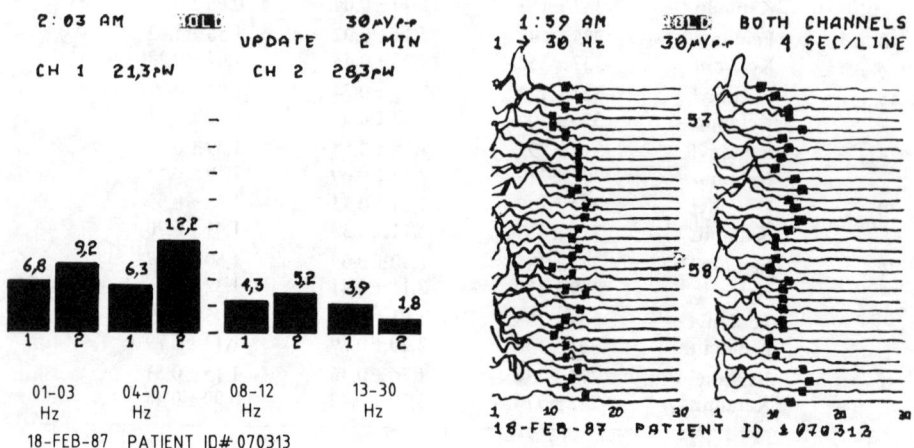

Abb. 3. EEG-Spektralanalyse eines Patienten der Fentanyl-Midazolam-Gruppe. *Links:* Frequenzbänder (Power bands), *rechts:* Compressed Spectral Array (CSA) mit Darstellung der spektralen Eckfrequenz (SEF)

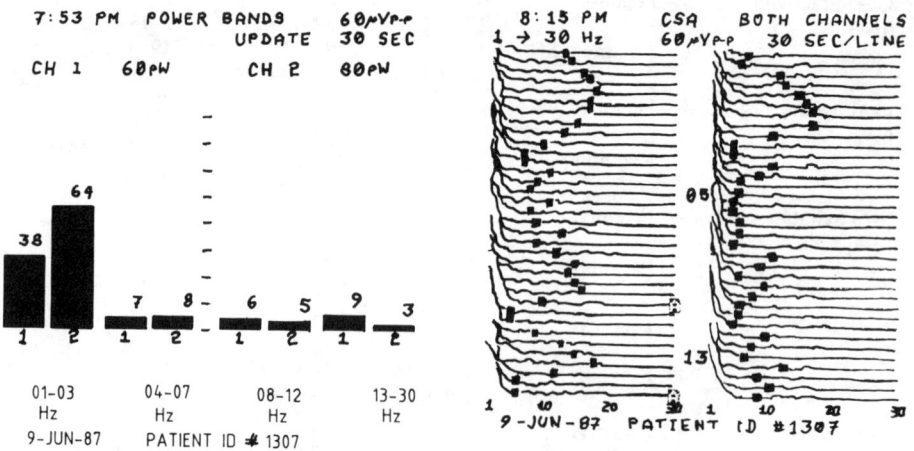

Abb. 4. EEG-Spektralanalyse eines Patienten der Ketamin-Midazolam-Gruppe. *Links:* Frequenzbänder (Power bands), *rechts:* Compressed Spectral Array (CSA) mit Darstellung der spektralen Eckfrequenz (SEF)

Bereich der α-Frequenzbänder (8–12 Hz) und β-Frequenzbänder (13–30 Hz) und ein deutliches Überwiegen der δ-Aktivität (1–3 Hz) und θ-Aktivität (4–7 Hz). Statistisch konnte lediglich ein signifikant höheres Gruppenniveau der β-Aktivität in der Ketamingruppe gesichert werden.

Hämodynamik (Tabelle 7)

Auch die hämodynamischen Parameter zeigten in beiden Gruppen keine wesentlichen Unterschiede. Herzfrequenz (HR) und arterieller Mitteldruck (MAP) waren in beiden Gruppen vergleichbar (Abb. 5). Der „cardiac index" (CI; Abb. 5) stieg im zeitlichen Verlauf signifikant an und lag in der Ketamingruppe durchgehend höher als in der Fentanylgruppe, allerdings auch schon zu Beginn der Meßperiode. Das Druck-Frequenz-Produkt war mit Gruppenmittelwerten von 16 388 des Fentanyl- und 16 233 des Ketaminkollektivs nahezu identisch, gleiches galt für den Tripleindex.

Der Pulmonalarterienmitteldruck ($\overline{PAP}$) und der pulmonalkapillare Verschlußdruck (PCWP) verhielten sich im Hinblick auf Gruppenniveau und Verlauf ausgesprochen einheitlich, der Druck im rechten Vorhof (RAP) war in der Fentanylgruppe leicht erhöht (Abb. 6).

Der systemische Gefäßwiderstand (SVR) fiel in beiden Gruppen im Verlauf signifikant ab. Der pulmonale Gefäßwiderstand (PVR) lag in der Ketamingruppe etwas niedriger, dies war jedoch schon zu Beginn des Beobachtungszeit-

Tabelle 7. Hämodynamische Parameter, arithmetische Mittelwerte und Standardabweichungen bzw. geometrische Mittelwerte (Shunt); Abkürzungen s. Text

Parameter [Einheit]	Gruppe	0 h	12 h	24 h	36 h	48 h
MAP [mmHg]	Fentanyl	95 ± 16	94 ± 10	100 ± 23	92 ± 18	87 ± 11
	Ketamin	86 ± 11	89 ± 22	85 ± 14	90 ± 17	96 ± 24
HR [l/min]	Fentanyl	107 ± 11	105 ± 16	103 ± 14	112 ± 8	109 ± 16
	Ketamin	118 ± 11	114 ± 10	112 ± 16	118 ± 14	114 ± 17
CI [l/min/m²]	Fentanyl	$3,2\pm0,9$	$3,9\pm0,9$	$4,0\pm1,2$	$4,2\pm1,4$	$3,8\pm1,4$
	Ketamin	$4,0\pm1,2$	$4,9\pm1,5$	$4,4\pm1,3$	$4,8\pm2,0$	$4,3\pm1,2$
RAP [mmHg]	Fentanyl	7 ± 3	10 ± 4	11 ± 3	12 ± 4	10 ± 3
	Ketamin	8 ± 3	9 ± 5	8 ± 2	9 ± 4	10 ± 5
PAP [mmHg]	Fentanyl	22 ± 11	26 ± 9	23 ± 6	29 ± 12	23 ± 10
	Ketamin	22 ± 6	25 ± 6	24 ± 5	26 ± 9	24 ± 5
PCWP [mmHg]	Fentanyl	16 ± 8	17 ± 7	14 ± 5	19 ± 8	15 ± 5
	Ketamin	15 ± 7	19 ± 6	14 ± 4	19 ± 10	15 ± 4
SVR [dyn·s·cm⁻⁵]	Fentanyl	1206 ± 338	948 ± 291	1007 ± 289	872 ± 349	933 ± 331
	Ketamin	890 ± 495	742 ± 339	818 ± 286	831 ± 373	835 ± 236
PVR [dyn·s·cm⁻⁵]	Fentanyl	136 ± 63	108 ± 71	99 ± 38	108 ± 58	104 ± 58
	Ketamin	82 ± 42	64 ± 15	94 ± 37	73 ± 59	93 ± 32
Shunt [%]	Fentanyl	13	14	12	12	12
	Ketamin	13	14	13	14	7

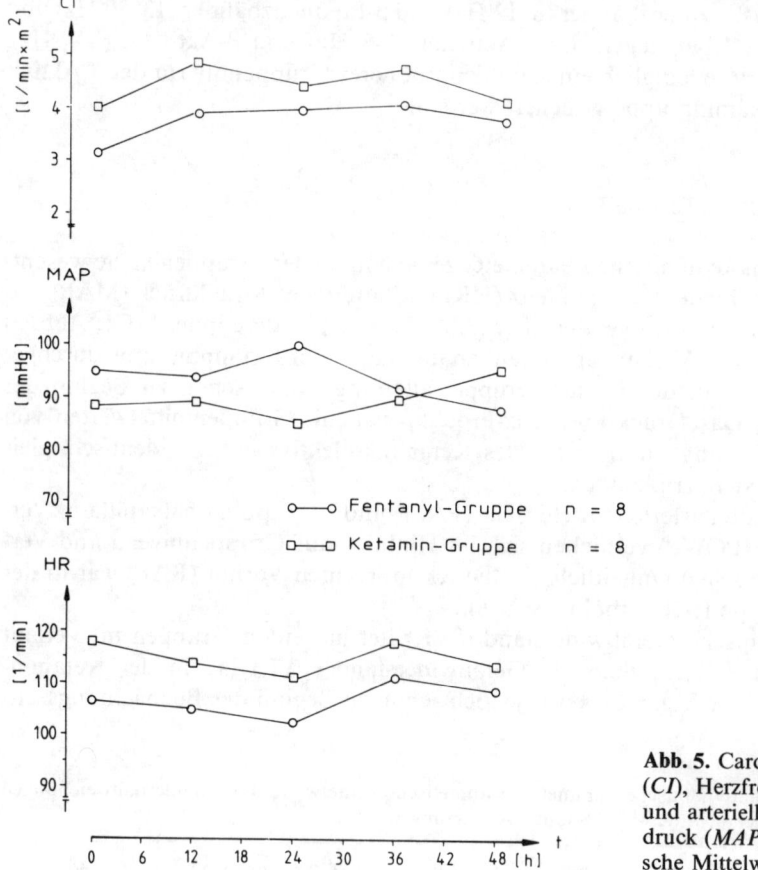

Abb. 5. Cardiac index (*CI*), Herzfrequenz (*HR*) und arterieller Mitteldruck (*MAP*), arithmetische Mittelwerte

raums der Fall. Beim Shuntvolumen waren neben signifikanten Änderungen über die Zeit in beiden Gruppen zusätzliche signifikante Interaktionen im Verlauf nachweisbar, bedingt durch eine deutliche Shuntverminderung in der Ketamingruppe am Ende des Beobachtungszeitraums (Abb. 7).

Klinische Bewertungen

Die bisher dargelegten Meßwerte sollten durch eine klinische Beobachtungsskala (s. Tabelle 1) ergänzt und überprüft werden, um neben den technisch gewonnenen Parametern auch praktisch-pflegerische Komponenten in die Beurteilung der beiden Verfahren einzubeziehen.

Die Adaptation der Patienten an die Beatmung lag in beiden Gruppen auf vergleichbarem Niveau (Fentanylgruppe $3,98 \pm 0,05$; Ketamingruppe $3,96 \pm 0,07$; MW±SD). In der Beurteilung der Wachheit wiesen die Patienten der Ketamingruppe höhere Werte auf (Fentanylgruppe $1,10 \pm 0,09$; Ketamingruppe

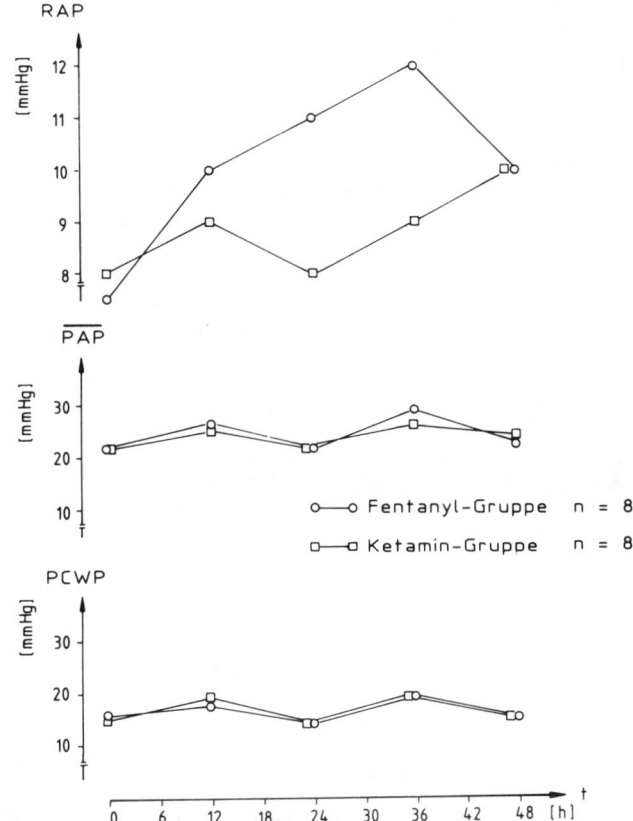

Abb. 6. Rechter Vorhof-
druck (*RAP*), Pulmonalarterienmitteldruck (*PAP*)
und pulmonalkapillarer
Verschlußdruck (*PCWP*),
arithmetische Mittelwerte

1,31 ± 0,30; MW ± SD). Der Gesamtverbrauch an Pancuronium lag dementspre-
chend in der Ketamingruppe mit 59 mg/48 h niedriger als in der Fentanylgruppe
mit 70 mg/48 h. Bei jeweils einem Patienten in jeder Gruppe mußte die Sedierung als insgesamt unbefriedigend bezeichnet werden.

Ketaminspiegel

Die Ketaminspiegel im Plasma (Abb. 8) zeigten einen weitgehend parallelen
Kurvenverlauf für alle Patienten. Die arithmetischen Mittelwerte sowie die Standardabweichungen betrugen (8 Messungen über 48 h im Abstand von 6 h, Angaben in µg/ml): 0,91 ± 0,33, 1,30 ± 0,56, 1,31 ± 0,53, 1,46 ± 0,52, 1,26 ± 0,22,
1,14 ± 0,49, 0,94 ± 0,31, 0,88 ± 0,34. Auch nach Ablauf von 48 h ergaben sich damit keinerlei Hinweise für eine Kumulation der Substanz.

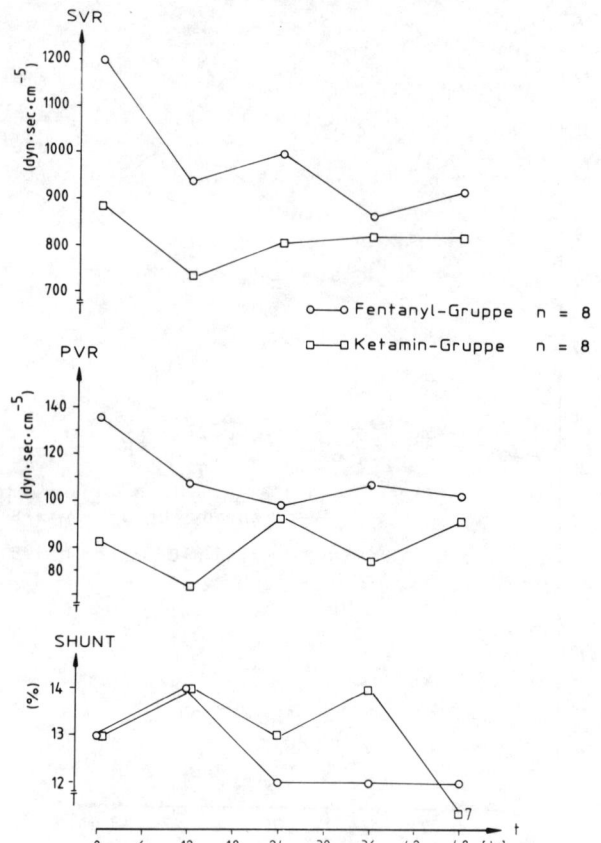

○——○ Fentanyl-Gruppe   n = 8
□——□ Ketamin-Gruppe   n = 8

Abb. 7. Systemischer Gefäßwiderstand (*SVR*), pulmona-
ler Gefäßwiderstand (*PVR*)
und Shuntvolumen (*Shunt*),
arithmetische Mittelwerte

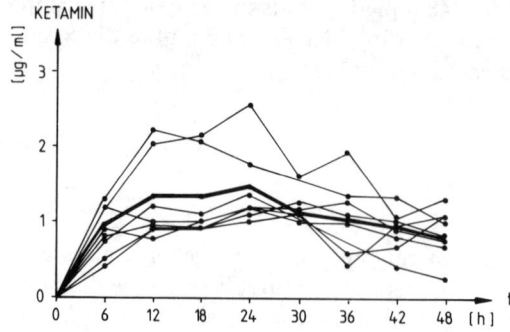

Abb. 8. Ketaminkonzentrationen im
Plasma, Einzelverläufe und arithmeti-
scher Mittelwert

Diskussion

Die Interpretation der vorliegenden Ergebnisse kann nur in einer Gesamtschau erfolgen. Die endokrinen Streßparameter ADH, ACTH und Kortisol schließen durch ihr gleichförmiges Verhalten auf niedrigem Niveau einen systemischen Streßzustand der untersuchten Patienten aus. Dieses Ergebnis muß als unerwartet bezeichnet werden, es wird durch die entsprechenden EEG-Analysen aber eindrucksvoll unterstrichen. Die stark erhöhten Noradrenalinkonzentrationen und die in der Ketamingruppe zumindest initial hohen Adrenalinwerte widersprechen diesen Ergebnissen zumindest auf den ersten Blick. Dazu ist zu bemerken, daß die Beurteilung der Plasmakatecholamine nicht ausschließlich unter dem Gesichtspunkt als Streßparameter erfolgen darf. Dies kann nur bei konstant ausgeglichenen Kreislaufverhältnissen gelten, die bei beatmungspflichtigen Intensivpatienten regelmäßig nicht vorliegen.

Die hämodynamischen Parameter lassen bei streng vergleichbarem Druck-Frequenz-Produkt, durchgehend erhöhtem „cardiac index" und abfallendem Shuntvolumen in der Ketamingruppe Vorteile der Ketamin-Midazolam-Medikation bei instabilen Kreislaufverhältnissen andeutungsweise erkennen. Der beobachtete Verzicht auf die weitere Zufuhr exogener Katecholamine in 2 Fällen bzw. der einsparende Effekt in einem weiteren Fall stellen das praktische Korrelat dar.

Die klinischen Parameter verdienen eine besondere Würdigung, da sie einen unmittelbaren Einblick in Praktikabilität und Effizienz der eingesetzten Verfahren gestatten. Die Adaptation der Patienten an die Beatmung muß in beiden Gruppen als hervorragend bezeichnet werden, die Patienten der Ketamingruppe lagen in der Beurteilung des Wachheitsgrades dagegen durchweg günstiger. Eine noch weitergehende Reduzierung der Muskelrelaxation bzw. ein vollständiger Verzicht könnten diese Tendenz weiter verstärken.

Die Ergebnisse lassen sich daher wie folgt zusammenfassen:

1) Die sedativ-analgetische Medikation beatmungspflichtiger Intensivpatienten mit der Kombination Ketamin/Midazolam ist klinisch praktikabel.
2) Die untersuchten Verfahren sind im Hinblick auf die endokrine Streßantwort vergleichbar.
3) Die Kombination Ketamin/Midazolam führt zur Einsparung exogener Katecholamine sowie von Muskelrelaxanzien.
4) Sie ist vorteilhaft bei hypotonen Kreislaufregulationsstörungen; Vorsicht ist geboten bei hypertoner Ausgangslage.

Literatur

1. Brost F, Tzanova I (1987) Postoperative Langzeit-Analgosedierung. Intensivbehandlung 12:57
2. Clausen L, Sinclair DM, Hasselt CH van (1975) Intravenous ketamine for postoperative analgesia. SA Med J p 1437
3. Ito Y, Ichiyanagi K (1974) Post-operative pain relief with ketamine infusion. Anaesthesia 29:222

4. Joachimsson PO, Hedstrand U, Eklund A (1986) Low-dose ketamine infusion for analgesia during postoperative ventilator treatment. Acta Anaesthesiol Scand 30:697
5. Kurth M (1983) Anästhesie und Analgosedierung mit Ketamin bei Patienten einer Intensivstation. Anästh Intensivmed 24:270
6. Langrehr D, Miranda DR, Stoutenbeek CP, Zandstra DF, Saen HKF van (1986) Ketamin-Benzodiazepin-Kombination zur Sedierung von Intensivpatienten. In: Schulte am Esch J (Hrsg) Langzeitsedierung des Intensivpatienten. Zuckschwerdt, München Bern Wien
7. Reves JG, Fragen RJ, Vinik HR, Greenblatt DJ (1985) Midazolam: Pharmacology and uses. Anesthesiology 62:310
8. Sadove MS, Shulman M, Hatano S, Fevold N (1971) Analgesic effects of ketamine administered in subdissociative doses. Anesth Analg 50:452
9. Shetty GK, Kelsall PG, Ryan DW (1986) Long-term ketamine infusion. Anaesthesia 41:1262
10. White PF, Way WL, Trevor AJ (1982) Ketamine – Its pharmacology and therapeutic doses. Anesthesiology 56:119

Pharmakokinetik von Ketamin bei beatmeten, dialysepflichtigen Patienten*

C. Köppel, I. Arndt und K. Ibe

Einleitung

Patienten mit einer vital bedrohlichen Grunderkrankung, die beatmet werden müssen, befinden sich in einem Zustand extremer physischer und psychischer Belastung, da ihnen u. a. durch die Intubation die Möglichkeit der sprachlichen Kommunikation genommen ist. Besteht bei diesen Patienten zusätzlich ein akutes Nierenversagen, so müssen sie einer meist täglichen Hämodialysebehandlung unterzogen werden. Zu diesem Zweck ist es notwendig, großlumige Gefäßzugänge zu schaffen, die bei Anschluß an die Hämodialyse die Bewegungsfreiheit des Patienten im Bett weiter einschränken, da diese Maßnahme in der Regel nur in Rückenlage erfolgen kann. Motorische Unruhe eines Patienten, bedingt durch Schmerzen und Ängste, kann zu einer ganz erheblichen Selbstgefährdung des Patienten führen, wenn dabei der Tubus oder die Zugänge entfernt werden. In dieser Situation ist eine besondere menschliche Hinwendung von Pflegepersonal und Ärzten zum Patienten gefordert. Zusätzlich ist oft – insbesondere bei Schmerzzuständen – eine analgesierende und sedierende Pharmakotherapie notwendig. Wünschenswert ist es, daß der Patient unter dieser Therapie schmerzfrei, aber jederzeit ansprechbar bzw. erweckbar ist, d. h. nicht seiner nonverbalen Kommunikationsmöglichkeiten beraubt wird. Die Dosierung einer Analgosedierung muß für jeden Patienten den individuellen Bedürfnissen angepaßt werden.

Für die Langzeitsedierung bzw. Analgosedierung sind sehr unterschiedliche Substanzklassen im Einsatz wie Benzodiazepine (z. B. Diazepam, Flunitrazepam, Midazolam), Neuroleptika und synthetische Opiate (z. B. Pethidin, Piritramid, Fentanyl). Nahezu alle Pharmaka wirken kreislaufdepressiv und senken mehr oder weniger ausgeprägt den Blutdruck. Bei manchen Patienten bereiten früheinsetzende Gewöhnungseffekte erhebliche Probleme. Hierdurch sind oft extreme Dosissteigerungen notwendig. Auch bei Vorbehandlung mit Pharmaka, die eine Enzyminduktion auslösen, können sich Dosierungsprobleme ergeben. Besondere Schwierigkeiten werden bei Patienten mit chronischem Alkoholabusus und einem sich anbahnenden Alkoholentzugsdelir beobachtet.

* Wir danken Frau R. Rehers und Frau B. Plath für die sorgfältige Durchführung der gaschromatographischen Untersuchungen. Herrn Dr. F. Martens schulden wir für die pharmakokinetischen Berechnungen Dank.

Von verschiedenen Autoren ist zur Analgosedierung die niedrigdosierte Dauerinfusion von Ketamin, evtl. in Kombination mit Benzodiazepinen (z. B. Flunitrazepam, Midazolam), empfohlen worden [9, 14, 17], da hierdurch der Blutdruck nicht gesenkt wird und eine gute Steuerbarkeit gegeben ist. Bei niedriger Dosierung von Ketamin (0,3–1 mg/kg/h) steht die analgetische Wirkung im Vordergrund, so daß der Patient erweckbar bleibt. Durch die zusätzliche Gabe von Benzodiazepinen können unerwünschte Wirkungen des Ketamins wie psychomimetische Effekte und hyperdyname Kreislaufreaktionen unterdrückt werden [1, 18].

Ketamin liegt zur praktischen Anwendung als 1:1-Gemisch seiner rechts- und linksdrehenden Isomeren vor. Über die Pharmakologie der Einzelkomponenten liegen keine Untersuchungen vor. Die Pharmakokinetik von Ketamin wurde nach Kurzinfusion von verschiedenen Autoren untersucht [4, 6, 10, 12, 19]. Die Plasmaspiegelkurve läßt sich durch Annahme eines 2-Kompartiment-Modells mit einer Verteilungshalbwertszeit von 18 min und einer Eliminationshalbwertszeit von 150 min beschreiben [19]. Das Verteilungsvolumen während der β-Phase liegt bei 214 l [19]. Ketamin wird spezifisch an das saure α_1-Glykoprotein (AAG) und weniger ausgeprägt an Albumin gebunden. Die Plasmaeiweißbindung liegt bei 22–47% und ist vom pH und wahrscheinlich auch von der AAG-Konzentration abhängig, die bei Erkrankungen auf ein Mehrfaches der Norm erhöht sein kann [8]. Lediglich 2,3% des Wirkstoffs werden unverändert mit dem Urin ausgeschieden. Daneben liegen im 72-h-Urin 1,3% einer applizierten Dosis als Norketamin (Metabolit I) und 16,2% als Dehydronorketamin (Metabolit II) vor (Abb. 1) [4, 19]. Der Metabolit II wird durch Wasserelimination aus den instabilen Metaboliten III und IV gebildet. Tierexperimentelle Untersuchungen zeigten, daß Metabolit I nur etwa $\frac{1}{10}$ und Metabolit II nur $\frac{1}{100}$ der Wirksamkeit des Ketamins aufweist [5]. Über die Plasmaspiegelwirkbeziehung bei Ketamin liegen unterschiedliche Angaben vor: Bei Anästhesie mit 0,041 mg/kg/h Ketamin in Kombination mit Lachgas wurde ein mittlerer Ketaminplasmaspiegel von 2,2 µg/ml bestimmt. In der Aufwachphase lag die Ketaminkonzentration bei

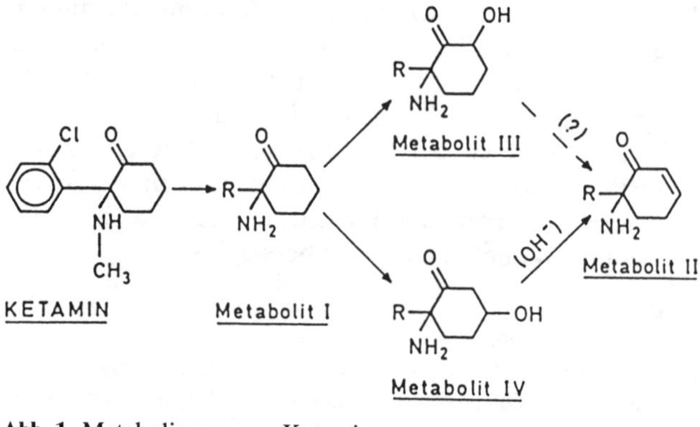

Abb. 1. Metabolismus von Ketamin

0,6 µg/ml [12]. Der minimale Ketaminplasmaspiegel für die analgetische Wirkung liegt bei 0,1–0,15 µg/ml [6, 11].

Wegen der nahezu vollständigen Metabolisierung des Ketamins sollte man bei eingeschränkter Nierenfunktion keinen nennenswerten Einfluß auf die Ketaminplasmakinetik erwarten. Dies konnte im Tierexperiment bestätigt werden [15]. Der renale Blutfluß wird durch Ketamin nicht beeinflußt [2]. Über die Pharmakokinetik des Ketamins bei Langzeitinfusion liegen bislang keine Arbeiten vor. Ebenso fehlen Untersuchungen über den Einfluß einer eingeschränkten Nierenfunktion auf den Ketaminplasmaspiegel beim Menschen. Aus diesem Grund erschien es sinnvoll, die Ketaminplasmakinetik bei Patienten mit akutem Nierenversagen und der Notwendigkeit einer Langzeitsedierung mit Ketamindauerinfusion zu untersuchen. Gleichzeitig stellte sich die Frage, inwieweit Ketamin unter einer Hämodialyse bzw. Ultrafiltration aus dem Plasmakompartiment entfernt wird und sich möglicherweise die Notwendigkeit einer Dosiserhöhung unter dieser Behandlung ergibt.

Patienten und Methoden

In die Studie wurden 6 Patienten einbezogen, die im Laufe einer vital bedrohlichen Grunderkrankung beatmungspflichtig geworden waren (Tabelle 1). Bei allen Patienten hatte sich im weiteren Krankheitsverlauf ein akutes Nierenversagen (< 100 ml Urin/Tag) entwickelt, so daß eine tägliche Hämodialyse- bzw. Ultrafiltrationsbehandlung nötig war. Alle Patienten gaben zuvor auf Befragen Schmerzen an, v. a. bei Manipulationen (z. B. bei Lagerung, Bronchialtoilette). Zusätzlich ergab sich die Notwendigkeit einer Analgosedierung wegen z. T. bedenklicher motorischer Unruhe während der Hämodialyse, die über einen Doppellumenkatheter in der V. femoralis vorgenommen wurde. Die Langzeit-

Tabelle 1. Übersicht über die 6 Patienten

Patient Nr.	Alter (Jahre)	Geschlecht	Diagnose
1	57	m.	Zustand nach 3fach aortokoronarem Venenbypass, dekompensierte Linksherzinsuffizienz
2	60	m.	Sepsis nach aortobifemoralem Bypass
3	63	m.	Zustand nach Operation eines abdominellen Aortenaneurysmas
4	65	m.	Zustand nach Reanimation bei inferiorem Myokardinfarkt
5	62	m.	Zustand nach Polytrauma, Schocklunge nach Lungenkontusion, BWK 3- und 5-Fraktur, Tibiafraktur
6	26	f.	Zustand nach Pankreasteilresektion bei akuter nekrotisierender Pankreatitis

analgosedierung erfolgte durch Dauerinfusion von 100 mg/h Ketamin (1,1–1,3 mg/kg/min) über einen Perfusor. Diese Dosis wurde nach eigenen Erfahrungen (unveröffentlicht) mit 5 vergleichbaren Intensivpatienten mit akutem Nierenversagen gewählt, wobei sich Dosen von 0,5–3 mg/kg/min Ketamin für das Erreichen von Schmerzfreiheit bei gleichzeitiger Erweckbarkeit als notwendig erwiesen hatten.

Bei keinem der Patienten bestand ein Anhalt für eine Lebervorschädigung. Pseudocholinesterase und Ammoniak im Serum lagen bei mehrfachen Kontrollen im Normbereich. Keiner der Patienten war mit typischen Induktoren (z. B. Phenobarbital) oder Inhibitoren (z. B. Cimetidin, Miconazol) des Zytochroms P 450 vorbehandelt worden. Alle Patienten waren katecholaminpflichtig und erhielten 0,01–0,04 mg/kg/min Dobutamin oder 0,15–0,4 µg/kg/min Noradrenalin. Bei allen Patienten erfolgte eine engmaschige Kontrolle der Kreislauf- und Laborparameter (RR, Herzfrequenz, Herzzeitvolumen, Pulmonalarteriendruck, Blutgasanalyse). Bei den täglichen Laborkontrollen wurden wenigstens ein kleiner Gerinnungsstatus, Transaminasen, Retentionswerte, Kreatinkinase, Elektrolyte, Glukose, Albumin und Gesamteiweiß erfaßt. Die Bewußtseinslage der Patienten wurde von der ständig am Krankenbett anwesenden Pflegekraft 2mal am Tag protokolliert. Zusätzlich erfolgte eine tägliche Beurteilung durch den jeweils gleichen ärztlichen Untersucher.

Die Quantifizierung von Ketamin, Norketamin und Dehydronorketamin im Plasma erfolgte mit Hilfe der Gaschromatographie mit stickstoffselektivem Detektor, ähnlich wie in der Literatur beschrieben [7]. Hierzu wurden 0,5–1 ml Plasma mit 1 ml pH-9-Puffer 2mal mit Dichlormethan extrahiert; als innerer Standard wurde Orphenadrin zugesetzt. Die Extrakte wurden mit wenig Natriumsulfat getrocknet und mit einem Stickstoffstrom vorsichtig zur Trockne eingeengt. Der Rückstand wurde in 100 µl Methanol aufgenommen und ein Aliquot mit einem Gaschromatographen F 22 der Fa. Perkin-Elmer mit einer 25-m-Wide-bore-DMS-Kapillarsäule untersucht. Die Einspritzblocktemperatur lag bei 290 °C, die Temperatur des stickstoffselektiven Detektors bei 300 °C. Die Auftrennung erfolgte mit Hilfe eines Temperaturprogramms von 180–290 °C mit einer Aufheizrate von 4 °C/min. Die Retentionszeiten von Ketamin lagen bei 6,80 min, für Norketamin bei 5,75 und für Dehydronorketamin bei 6,05 min. Die Standardabweichung des Verfahrens betrug 6%, die Nachweisgrenze lag für Ketamin bei 0,01 µg/ml, für Metabolit I bei 0,02 µg/ml und für Metabolit II bei 0,05 µg/ml. Die Wiederfindung betrug 94% für Ketamin, 93% für Metabolit I und 91% für Metabolit II. Die Eichkurve war in einem Bereich von 0,2–1,5 µg/ml linear (r = 0,92).

Ergebnisse

Ketamin-, Norketamin- und Dehydronorketaminplasmaspiegel wurden jeweils 24, 48 und 72 h nach Beginn der Dauerinfusion bestimmt (Tabelle 2). Zusätzlich wurden Konzentrationen in Plasma, Dialysat und Ultrafiltrat während der Hämodialyse bzw. Ultrafiltration bestimmt. Unter Hämodialyse wurden maximal 10% der Dosis und unter Ultrafiltration maximal 4% der Dosis eliminiert. Kli-

Tabelle 2. Steady-state-Plasmakonzentration von Ketamin, Norketamin und Dehydronorketamin nach Dauerinfusion von 100 mg Ketamin/h

	Ketamin [μg/ml]	Norketamin [μg/ml] Metabolit I	Dehydronorketamin [μg/ml] Metabolit II
1. Tag	2,0 ± 0,6	0,7 ± 0,5	3,2 ± 2,8
2. Tag	1,9 ± 0,9	1,6 ± 1,2	5,1 ± 2,1
3. Tag	1,8 ± 0,4	1,2 ± 0,7	8,2 ± 2,8

nisch konnte während Hämodialyse bzw. Ultrafiltration kein Effekt auf das Vigilanzniveau der Patienten festgestellt werden.

Bei Patient Nr. 5 konnte zusätzlich die Plasmaabklingkurve bestimmt werden. Die nichtlineare Regressionsanalyse der Plasmaspiegelabklingkurve erfolgte unter Zugrundelegung eines 2-Kompartiment-Modells [3]. Die pharmakokinetischen Parameter der Abklingkinetik sind in Tabelle 3 zusammengefaßt.

Unter Dauerinfusion waren alle Patienten schmerzfrei, deutlich verlangsamt, aber erweckbar. Bei keinem Patienten fanden sich Zeichen einer Gewöhnung. Lediglich bei 2 der 6 Patienten war am 1. Tag die zusätzliche Gabe von insgesamt bis zu 8 mg Flunitrazepam/24 h notwendig. Ein Anhalt für psychomimetische Effekte bestand bei keinem der Patienten. Ebenso wurden keine auf Ketamin zu beziehenden Kreislaufreaktionen beobachtet. Alle Patienten hatten einen erniedrigten „cardiac index".

Der theoretisch zu erwartende Steady-state-Ketaminspiegel nach Dauerinfusion von 100 mg/h (1,1–1,3 mg/kg/h) wurde unter Zugrundelegung von Daten von Wieber [19] abgeschätzt (1,5 μg/ml). Dieser Wert sollte nach etwa 10–12 h erreicht sein [16].

Tabelle 3. Abklingkinetik von Ketamin, Norketamin und Dehydronorketamin nach Abstellen der Ketamininfusion bei Patient Nr. 5 (2-Kompartiment-Modell; *AUC* „Area under curve"). $C = Ae^{-\alpha t} + Be^{-\beta t}$

	Ketamin	Norketamin Metabolit I	Dehydronorketamin Metabolit II
Halbwertszeit (α) [min]	18	82	106
Halbwertszeit (β) [min]	133	94	324
A [mg/l]	115	−1,05	−0,31
B [mg/l]	19,2	1,42	9,81
α [min^{-1}]	2,2	0,5	0,39
β [min^{-1}]	0,31	0,44	0,13
AUC μg/h/l	114	22,9	569
r^2	0,98	0,97	0,97

Diskussion

Die Ketaminplasmaspiegel 24, 48 und 72 h nach Beginn der Infusion zeigten trotz Vorliegens eines akuten Nierenversagens bei keinem der Patienten eine Tendenz zur Kumulation. Der mittlere Steady-state-Plasmaspiegel des Ketamins (1,9 μg/ml) lag allerdings etwa 25% über dem theoretisch errechneten Wert. Hierfür ist sicher nur zu einem geringen Teil das akute Nierenversagen der Patienten verantwortlich, da lediglich 2,3% einer Ketamindosis unverändert mit dem Urin ausgeschieden werden. Möglicherweise ist der Metabolismus von Ketamin stark von der Leberperfusion abhängig. Diese dürfte bei allen Patienten, bei denen durchweg ein reduzierter „cardiac index" bestand, erniedrigt gewesen sein. Weiterhin könnte auch eine erhöhte Ketamin-Eiweiß-Bindung, bedingt durch eine erhöhte AAG-Konzentration, die Verteilung des Ketamins zwischen Plasma- und Gewebekompartimenten zugunsten des Plasmas verschoben haben. Weitere Untersuchungen zur Klärung dieser Fragen sind noch nicht abgeschlossen.

Die Plasmakonzentrationen des Norketamins, das $1/10$ der Wirksamkeit des Ketamins besitzt, zeigten einen großen interindividuellen Streubereich. Eine deutliche Kumulation des Metaboliten Dehydronorketamin war bei allen Patienten zu verzeichnen. Dieser Metabolit weist allerdings nur $1/100$ der Wirksamkeit des Ketamins auf.

Hämodialyse und Ultrafiltration konnten trotz der relativ niedrigen Plasmaeiweißbindung von Ketamin nur einen Bruchteil der Dosis (maximal 10 bzw. 4%) eliminieren. Klinisch war keine Beeinflussung des Vigilanzniveaus feststellbar, so daß sich keine Notwendigkeit einer Dosissteigerung unter Hämodialyse oder Ultrafiltration ergab.

Bei allen Patienten wurde eine zufriedenstellende Analgosedierung beobachtet: Die Patienten waren deutlich verlangsamt, aber erweckbar und schmerzfrei. Die typischen unerwünschten Wirkungen von Ketamin sowie Gewöhnungseffekte wurden nicht beobachtet. Der zur Analgosedierung erforderliche Ketaminplasmaspiegel war bei den Patienten mit akutem Nierenversagen relativ hoch. Ob diese Patientengruppe ähnlich wie Patienten mit chronischem Nierenversagen eine verminderte Ansprechbarkeit auf Sedativa aufweist, läßt sich anhand der kleinen Patientenzahl dieser Studie nicht entscheiden.

Die vorläufigen Untersuchungen zeigen, daß die Ketamindauerinfusion bei einem akuten Nierenversagen zu keiner Kumulation des Ketamins führt. Es wird allerdings ein Anstieg des Metaboliten Dehydronorketamin beobachtet. Die Analgosedierung mit einer Ketamindauerinfusion kann daher auch bei Patienten mit eingeschränkter Nierenfunktion in ähnlicher – aber immer individuell anzupassender – Dosierung wie bei Nierengesunden erfolgen.

Zusammenfassung

Sechs beatmete intensivtherapiepflichtige Patienten, bei denen es im Rahmen einer vital bedrohlichen Grunderkrankung zu einem akuten Nierenversagen gekommen war, erhielten zur Analgosedierung eine Dauerinfusion von 100 mg

Ketamin/h (1,1-1,3 mg/kg/h). Die Plasmakonzentration von Ketamin und seinen Hauptmetaboliten Norketamin und Dehydronorketamin wurden nach 24, 48 und 72 h sowie während der täglich vorgenommenen Hämodialyse bzw. Ultrafiltration mit Hilfe eines gaschromatographischen Verfahrens bestimmt. Die Steady-state-Ketaminplasmaspiegel lagen bei 1,9 ± 0,9 μg/ml, wobei sich bei keinem der Patienten ein Hinweis auf eine Kumulation ergab. Die Steady-state-Plasmakonzentrationen lagen im Mittel etwa 25% über dem aus pharmakokinetischen Daten bei Nierengesunden für diese Dosierung errechneten Erwartungswert. Da lediglich 2,3% einer Ketamindosis unverändert mit dem Urin ausgeschieden werden, sollte ein akutes Nierenversagen keinen nennenswerten Effekt auf die Plasmakinetik haben. Die höheren gemessenen Ketaminplasmaspiegel waren möglicherweise durch ein vermindertes Verteilungsvolumen oder eine reduzierte Leberperfusion bei den schwerstkranken, katecholaminpflichtigen Patienten bedingt, bei denen durchweg ein erniedrigter „cardiac index" bestand. Die Plasmakonzentrationen des Norketamins zeigten einen großen interindividuellen Streubereich. Bei allen Patienten fand sich eine deutliche Kumulation des Dehydronorketamins im Plasma, das aber nur etwa 1/100 der Wirksamkeit des Ketamins aufweist und beim Nierengesunden zu ca. 16% mit dem Urin ausgeschieden wird. Bei einem der Patienten konnte die Plasmakinetik nach Abstellen der Ketamindauerinfusion bestimmt werden. Die Abklingkurve ließ sich durch ein 2-Kompartiment-Modell beschreiben, wobei sich eine Verteilungshalbwertszeit von 18 min und eine Eliminationshalbwertszeit von 133 min ergab, die größenordnungsmäßig mit Werten aus der Literatur nach Kurzinfusion bei Nierengesunden übereinstimmten. Während der Hämodialyse und Ultrafiltration wurden lediglich bis zu 10 bzw. 4% der Gesamtdosis eliminiert. Klinisch war der Grad der Analgosedierung unter Hämodialyse und Ultrafiltration nicht verändert. Unter der Dauerinfusion von 100 mg Ketamin/h waren alle Patienten ausreichend sediert und schmerzfrei. Lediglich bei 2 der Patienten mußte am 1. Tag zusätzlich Flunitrazepam (maximal 8 mg/24 h) verabfolgt werden. Ein Gewöhnungseffekt wurde nicht beobachtet.

Literatur

1. Appel E, Dudziak R, Palm D, Wnuk A (1979) Sympathoneural and sympathoadrenal activation during ketamine anesthesia. Eur J Clin Pharmacol 16:91-95
2. Bevan DR, Budhu R (1975) The effect of ketamine on renal blood-flow in greyhounds. Br J Anaesth 47:634-635
3. Chan KKH, Wnuk K (1983) Microcomputer based pharmacokinetic programs for calculation of absorption rates. Comput Progr Biomed 16:27-31
4. Chang T, Glazko AJ (1974) Biotransformation and disposition of ketamine. Int Anesthesiol Clin 12:157-177
5. Chen G (1969) The pharmacology of ketamine. In: Kreuscher H (Hrsg) Ketamine. Springer, Berlin Heidelberg New York (Anaesthesiologie und Wiederbelebung, Bd 40, S 1-11)
6. Clements JA, Nimmo WS (1981) Pharmacokinetics and analgesic effect of ketamine in man. Br J Anaesth 53:27-30
7. Davisson JN (1978) Rapid gas chromatographic analysis of plasma levels of ketamine and major metabolites employing nitrogen selective or mass spectroscopic detection. J Chromatogr 146:344-349

8. Dayton PG, Stiller RL, Cook DR, Perel JM (1983) The binding of ketamine to plasma proteins: emphasis on human plasma. Eur J Clin Pharmacol 24:825–831
9. Dick W, Gervais H (1986) Analgesie bei Notfallpatienten. Anästh Intensivmed 27:1–8
10. Domino EF, Zsigmond EK, Domino LE, Domino KE, Kothary SP, Domino SE (1982) Plasma levels of ketamine and two of its metabolites in surgical patients using a gas chromatographic mass fragmentographic assay. Anesth Analg 61:87–92
11. Hirlinger WK, Pfenninger E (1987) Intravenöse Analgesie mit Ketamin bei Notfallpatienten. Anaesthesist 36:140–142
12. Idvall J, Ahlgren L, Aronsen KF, Stenberg P (1979) Ketamine infusions: pharmacokinetics and clinical effects. Br J Anaesth 51:1–7
13. Joachimson PO, Hedstrand U, Klund AE (1986) Low-dose ketamine infusion for analgesia during postoperative ventilator treatment. Acta Anaesthesiol Scand 30:697–702
14. Kurth M (1983) Anästhesie und Analgosedierung mit Ketamin bei Patienten einer Intensivstation. Anästh Intensivmed 24:270–272
15. Pedraz JL, Lanao JM, Dominguez-Gil A (1985) Kinetics of ketamine and its metabolites in rabbits with normal and impaired renal function. Eur J Drug Metab Pharmacokinet 10:33–39
16. Pelzer H (1981) Pharmakokinetik und Arzneistoffmetabolismus. Steinkopff, Darmstadt, S 133
17. Schürmann W, Pfenninger E, Ahnefeld FW (1984) Welche Rolle spielt Ketamin in der Notfallmedizin. Notfallmedizin 10:1435–1448
18. Tarnow J, Hess W (1979) Flunitrazepam-Vorbehandlung zur Vermeidung kardiovaskulärer Nebenwirkungen von Ketamin. Anaesthesist 28:468–473
19. Wieber J, Gugler R, Hengstmann JH, Dengler HJ (1975) Pharmacokinetics of ketamine in man. Anaesthesist 24:260–263

Verhalten von Elektroenzephalogramm und somatosensorisch evozierten Potentialen unter Ketamin 0,5 mg/kg i.v.

E. Kochs, I. Blanc und J. Schulte am Esch

Einleitung

Die Forderung nach suffizienter Analgesie bei Stabilisierung der Vitalparameter bei weitgehend unbeeinflußter klinischer Beurteilbarkeit führte zur Empfehlung, Notfallpatienten subanästhetische Dosen von Ketamin im Rahmen der Notfallversorgung zu verabreichen [7, 8]. Hierdurch sollen analgetische Wirkkonzentrationen ohne wesentliche Beeinträchtigung der Bewußtseinslage erreicht werden können. Die durch Ketamin auf das zentrale Nervensystem ausgeübten Effekte sind durch eine Reihe experimenteller und klinischer Studien belegt [3, 10, 11, 13, 17, 19, 24, 25]. Für die funktionelle und elektrophysiologische Dissoziation zwischen thalamoneokortikalen und limbischen Systemen wurden von Corssen et al. [2] und Domino et al. [3] der Begriff „dissoziative Anästhesie" geprägt. Die klinische Wirkung imponiert durch einem der Katalepsie gleichenden Zustand mit gelegentlichen unwillkürlichen Arm- und Beinbewegungen. Ein beobachtbarer Nystagmus soll v.a. in den für die Ketaminwirkung charakteristischen Traumphasen auftreten. Um die Wirkung einer niedrig dosierten Ketaminapplikation auf die hirnelektrische Aktivität abschätzen zu können, wurde anhand von Probandenuntersuchungen Spontanelektroenzephalogramm (EEG) und somatosensorisch evozierte Potentiale (SEP) bis zu 60 min nach Ketamingabe (0,5 mg/kg KG) untersucht.

Methode

Bei 8 freiwilligen, neurologisch unauffälligen Probanden ohne medikamentöse Therapie wurden EEG und SEP vor und bis zu 60 min nach i.v.-Applikation von 0,5 mg/kg KG Ketamin abgeleitet und zur späteren Analyse auf Magnetband aufgezeichnet. Das EEG wurde an folgenden Punkten abgeleitet: C3P3, C4P4, Cz gegen verbundene Ohrläppchen. Bandpaß: 1–45 Hz, Digitalisierung mit einer Abtastrate von 100/s, Fourier-Transformation: 5,2 s Epochenlänge. SEP wurden nach Stimulation des N. medianus handgelenknah, über der Wirbelsäule in Höhe des 6. Halswirbelkörpers (Cv6), über dem ipsi- und kontralateralen somatosensorischen Projektionsareal (C3'/C4') und über dem Vertex (Cz) gegenüber einer frontalen Referenz abgeleitet. Bandpaß: 10–2000 Hz; Reizfrequenz: 4 Hz; Reizstärke: doppelte motorische Schwelle. Weiterhin wurden aufgezeichnet: EKG, arterieller Blutdruck (Dinamap, Fa. Critikon) sowie die pulsoximetrisch gewonnene arterielle O_2-Sättigung (Nellcor, Fa. Dräger). Nach Adaptation der Probanden an die Versuchsbedingungen über einen Zeitraum von 45–60 min wurden 0,5 mg/kg KG Ketamin als Bolus über einen Zeitraum von 30 s injiziert. Die Gesamtleistung des EEG wurde in die Frequenzbänder 1–3 Hz (δ); 3,1–8 Hz (ϑ); 8,1–13 Hz (α); 13,1–18 Hz (β_1) und 18,1–45 Hz (β_2) unterteilt. Absolute und prozentuale Leistungsveränderungen wurden ebenso wie die Amplituden und Latenzzeiten der SEP nach Varianzanalyse (ANOVA) mittels Scheffé-Test auf dem 5%-Niveau ($p \le 0{,}05$) getestet.

Ergebnisse

Bei allen Probanden trat innerhalb von 43–108 s (Mittel: 68 s) nach Ketaminapplikation Bewußtseinsverlust ein. Nach einer Latenzzeit von 3–7 min stieg der mittlere arterielle Blutdruck signifikant von 85 ± 8 mmHg auf 101 ± 10 mmHg bei einer Steigerung der Herzfrequenz von 65 ± 10 auf 76 ± 12 an. Während des gesamten Beobachtungszeitraums zeigte die O_2-Sättigung gegenüber den Ausgangswerten von $98 \pm 2\%$ keine signifikante Veränderung.

EEG: Innerhalb von 60 s nach Applikation von Ketamin trat eine signifikante absolute sowie prozentuale Leistungszunahme im ϑ-Band auf, die nach 6–10 min ihren Ausgangswert wieder erreichte (Abb. 1).

Diese Leistungszunahme ist v. a. auf den Verlust der Grundaktivität bei Auftreten monomorpher hochgespannter Wellen (4–7 Hz) zurückzuführen. Geringfügige Steigerungen im δ- sowie β_1-Band konnten in variablem Ausmaß bei 4 Probanden über einen Zeitraum von 20–35 min beobachtet werden. Alle Probanden wiesen über einen Zeitraum von 30–60 min eine gegenüber den Ausgangswerten unterschiedliche desynchronisierte Grundaktivität auf.

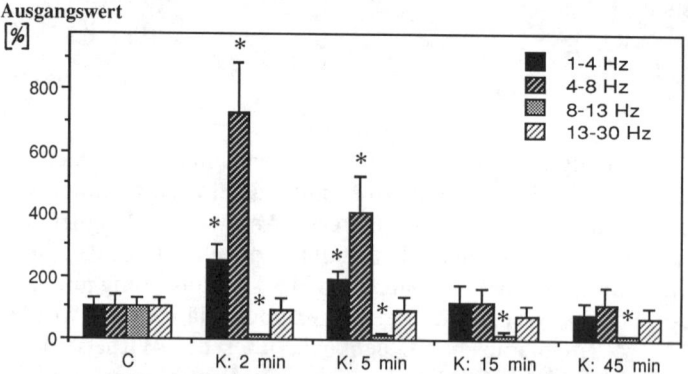

Abb. 1. EEG-Powerspektrum nach Fourier-Transformation (Ableitung C3P3; Epochenlänge: 5,2 s; *C* Ausgangswert, *K* Ketamin) vor und nach 0,5 mg/kg Ketamin i.v. gemittelt über 8 Probanden. Deutlich ersichtlich ist die Leistungszunahme im ϑ-Band (4–8 Hz) nach Ketamin, die bis zu 10 min andauert. Der Ausgangswert wird über den Beobachtungszeitraum nicht wieder erreicht ($p \le 0{,}05$; Scheffé-Test)

SEP: Die bei allen Probanden gefundenen SEP-Ausgangswerte lagen innerhalb der einfachen Standardabweichung unseres Normalkollektivs (Abb. 2). Die
Benennung erfolgt mit Bezeichnung der abgeleiteten Polarität (N = negativ,
P = positiv) und Angabe der Latenzzeit. Das Potential N 20–P 25 wird hierbei als
kortikaler Primärkomplex bezeichnet, da es als erstes nach Stimulation auftre-
tendes kortikales Potential angesehen wird. Die Latenzzeitdifferenzen zwischen
den Potentialen N 20 und N 13 (Generierung im N. cuneatus) wird zentrale
Überleitungszeit (CCT) genannt. Nach Ketaminapplikation bleiben die Potentiale mit einer Latenzzeit ≤ 25 ms unverändert (Abb. 3). Dies bedeutet, daß sich
auch die CCT nicht ändert. Die Komponenten N 35 bis N 55 werden demgegenüber während eines Zeitraums von 8–12 min stark supprimiert, wobei das Potential N 55 bis P 75 nicht von dieser Supprimierung betroffen ist (Abb. 4).

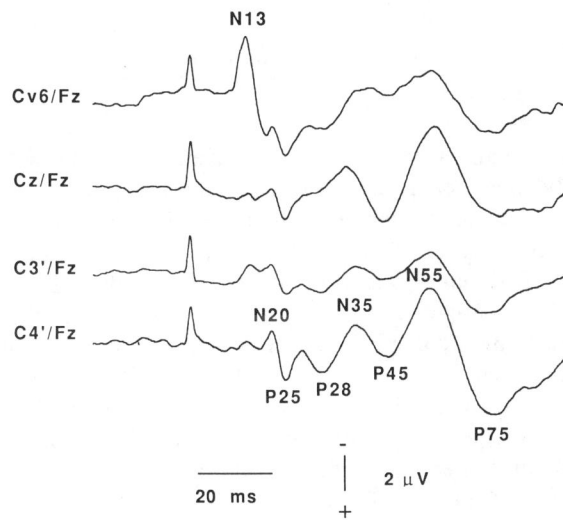

Abb. 2. Ausgangswerte der abgeleiteten somatosensorisch
evozierten Potentialkomponenten nach Stimulation des N.
medianus. Ableitorte: Halswir-
belsäule bei Zervical 6 *(Cv6),*
ipsi- *(C3')* und kontralaterales
(C4') kortikales somatosensori-
sches Projektionsareal sowie
Vertex *(Cz)* gegenüber einer
frontalen Referenz. Bandpaß:
10–2000 Hz; Reizfrequenz: 4/s
Reizintensität: doppelte motorische Schwelle. Negativitäten
sind nach oben aufgetragen bei
typischer Bezeichnung der Potentialkomponenten mit Polarität und Latenzzeit

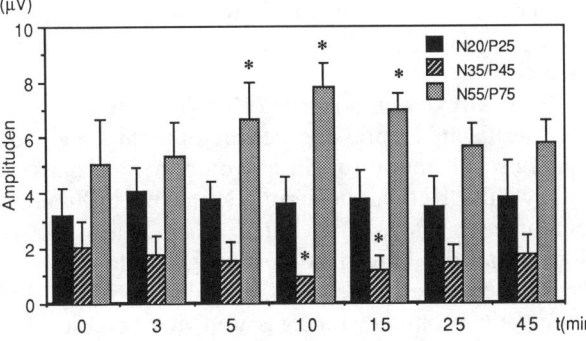

Abb. 3. Darstellung der gemit-
telten Amplitudenwerte der
somatosensorisch evozierten
Potentialkomponenten N 20
bis P 25, N 35 bis P 45 und N
55 bis P 75 über einen Beobachtungszeitraum von 45 min
nach Ketaminapplikation
($p \leq 0{,}05$; Scheffé-Test)

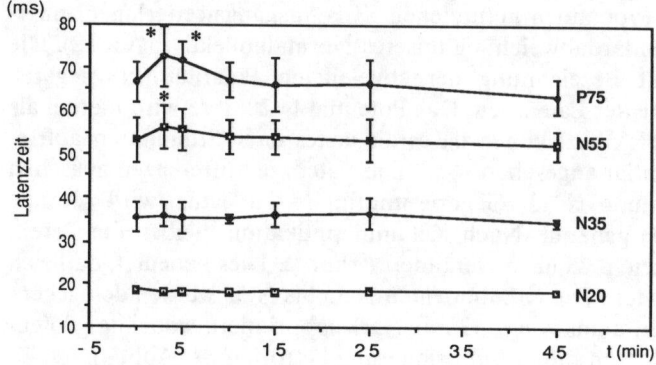

Abb. 4. Darstellung der Latenzzeiten (Mittelwerte ± SD) der somatosensorisch evozierten Potentialkomponenten N 20, N 35, N 55 und P 75 über einen Beobachtungszeitraum von 45 min nach Ketaminapplikation (p ≤ 0,05; Scheffé-Test)

Diskussion

Ein analgetischer Effekt durch Ketamin wird u. a. einer depressiven Wirkung auf die medialen Thalamuskerne zugeschrieben [16], während gleichzeitig in anderen Thalamusregionen und im limbischen System exzitatorische Aktivitäten registriert werden können [11]. Unter einer Dosierung von 1–3 mg/kg Ketamin wird im EEG eine synchrone, dominante 4- bis 6-Hz-Aktivität mit Amplituden über 50 µV beschrieben [2, 3, 4, 11, 13]. Dieses Verhalten soll das Erreichen des chirurgischen Toleranzstadiums unter Ketaminwirkung kennzeichnen [13]. Da die klassischen Kriterien für die Anästhesietiefen nach Ketaminapplikation nur eingeschränkt gültig sind, kommt diesem Befund besondere Bedeutung zu. Die in der vorgelegten Studie unter einer Dosis von 0,5 mg/kg Ketamin i.v. erhobenen Befunde stehen in Einklang zu den EEG- und SEP-Befunden nach höher dosierter Ketaminapplikation. Bedingt durch die geringere Dosis ist jedoch der zeitliche Verlauf einer Aktivierung des ϑ-Bands auf 5–10 min begrenzt. Dies entspricht der für die Umverteilung vom zentralen ins periphere Kompartiment berechneten Halbwertszeit in einem offenen Zwei-Kompartiment-Modell [26]. Die als zweites Charakteristikum für eine Ketaminanästhesie geltende Aktivierung höherer Frequenzen [20] wurde nur bei 3 von 8 Probanden gesehen. Inwieweit hier ein dosisspezifischer Effekt zum Tragen kommt, bedarf weiterer Untersuchungen.

Für die affektiv-emotionalen Komponenten der Schmerzwahrnehmung wurde eine spezifische Depression des medullären Anteils der Formatio reticularis, die eine Umschaltstation für diese Komponenten darstellt, beschrieben [18]. Da für die gewählte Ketamindosierung keine Beeinflussung von evozierten Potentialkomponenten bis zu einer Latenzzeit ≤ 25 ms nachgewiesen wurde, liegt keine Blockierung der langen Hinterstrangbahnen vor, soweit sie mit der gewählten Methode erfaßbar wäre. Im Gegensatz zu höher dosierter Ketamingabe sowie Thiopental, Etomidat, Lachgas und den volatilen Anästhetika [6, 9, 10, 12, 21] kommt es zu keiner Latenzzeitverlängerung der frühen somatosensorisch evozierten Potentialkomponenten einschließlich der kortikalen Primärantwort. Dies bedeutet, daß auch die CCT unter der eingesetzten Ketamindosierung nicht verändert ist. Im Gegensatz hierzu ist unter einer Ketamindosierung von 2 mg/kg eine verlängerte CCT beschrieben worden [10]. Die Supprimierung „kognitiver" SEP-Komponenten (N 35, P 45, N 55) in zeitlicher Korrelation zu den EEG-Veränderungen lassen auf eine ausgeprägte Dämpfung v. a. assoziativer kortikaler Areale schließen. Dies wird unterstützt durch Befunde bei Patienten mit lokalisierten Ausfällen des parietalen Assoziationskortex, bei denen eine erhaltene kortikale Primärantwort und Fehlen späterer Potentiale nachgewiesen werden konnten [14, 23]. Da der somatosensorische Input den Kortex nahezu ungehindert erreicht, deuten die SEP-Befunde auf eine nur partielle Beeinflussung des primären somatosensorischen Systems, der extralemniscalen Leitungsbahnen bzw. auf eine isolierte Dämpfung der Assoziationsfelder hin [1, 2, 5]. Da für die Generierung der Komponente N 55 bis P 75 eine myogene Mitbeteiligung angenommen wird [23] und Ketamin das neuromuskuläre System über einen direkten postsynaptischen Angriffspunkt beeinflußt [14], kann eine ungedämpfte Amplitude N 55 bis P 75 am ehesten hierdurch erklärt werden.

Schlußfolgerungen

Das Auftreten einer hochgespannten monomorphen ϑ-Aktivität (4–8 Hz) nach Ketaminapplikation deutet im Einklang zu den EEG-Befunden nach höherer Dosierung auf ein kurzfristiges Erreichen tieferer Narkosestadien hin. Korrespondierend zu den EEG-Veränderungen kommt es bei ungehindertem kortikalem Input zu einem Verlust „kognitiver" SEP-Komponenten, die auf eine Beeinträchtigung des Assoziationskortex schließen lassen. Nach den vorgelegten EEG- und SEP-Befunden erscheint es nicht gerechtfertigt, nach einer Applikation von 0,5 mg/kg Ketamin i.v. von einer „subanästhetischen" Dosierung zu sprechen. Insgesamt bleibt die hirnelektrische Aktivität selbst bei klinisch unauffälligen kognitiven Funktionen über einen Zeitraum von bis zu 60 min verändert, was bei einer klinisch-neurologischen Untersuchung in Verbindung mit EEG und SEP-Ableitungen berücksichtigt werden muß.

Literatur

1. Alpson D (1981) The effect of the selective activation of different peripheral nerve fiber groups on the somatosensory evoked potentials in the cat. Electroencephalogr Clin Neurophysiol 51:589
2. Corssen G, Domino EF (1966) Dissociative anesthesia: further pharmacologic studies and first clinical experience with the phencyclidine derivative CI-581. Anesth Analg 45:29
3. Corssen G, Domino EF, Bree RL (1969) Electroencephalographic effects of ketamine anesthesia in children. Anesth Analg 48:141
4. Domino EF, Chodoff P, Corssen G (1965) Pharmacologic effects of CI-581, a new dissociative anesthetic in man. Anesth Analg (Cleve) 39:302
5. Dong WK, Harkins SW, Ashleman BT (1982) Origins of cat somatosensory far-field and early near-field evoked potentials. Electroencephalogr Clin Neurophysiol 53:143

6. Drummond JC, Todd MM, Hoi Sang U (1985) The effect of high dose sodium thiopental on brain stem auditory and median nerve somatosensory evoked responses in humans. Anesthesiology 63:249
7. Hirlinger WK, Dick W, Knoche E (1983) Untersuchungen zur intramuskulären Ketaminanalgesie bei Notfallpatienten. I. Klinisch-pharmakologische Studie. Anaesthesist 32:335
8. Hirlinger WK, Dick W, Knoche E (1984) Untersuchungen zur intramuskulären Ketaminanalgesie bei Notfallpatienten. II. Klinische Studie an traumatisierten Patienten. Anaesthesist 33:272
9. Jewkes, D, Wang L, Symon L (1984) Effects of halothane, enflurane and hypotension on central conduction time. Br J Anaesth 56:1302P
10. Kano T, Shimoji K (1974) The effects of ketamine and neuroleptanalgesia on the evoked electrospinogram and electromyogram in man. Anesthesiology 40:241
11. Kayama Y, Iwama K (1972) The EEG, evoked potentials and single-unit activity during ketamine anesthesia in cats. Anesthesiology 36:316
12. Kochs E, Treede RD, Schulte am Esch J (1986) Vergrößerung somatosensorisch evozierter Potentiale während Narkoseeinleitung mit Etomidat. Anaesthesist 35:359
13. Kugler A, Doenicke A, Laub H, Kleinert H (1969) Elektroenzephalographische Untersuchungen bei Ketamine und Methohexital. In: Kreuscher H (Hrsg) Ketamine. Springer, Berlin Heidelberg New York, S 101
14. Marwaha J (1980) Some mechanisms underlying actions of ketamine on electromechanical coupling in skeletal muscle. J Neurosci Res 5:43
15. Mauguière F, Desmedt JE, Courjon J (1983) Astereognosis and dissociated loss of frontal or parietal components of somatosensory evoked potentials in hemispheric lesion. Brain 106:271
16. Massopust LC, Wolin LR, Albin MS (1972) Electrophysiologic and behavioral responses to ketamine hydrochloride in the rhesus monkey. Anesth Analg (Cleve) 51:329
17. Mori K, Kawamata M, Mitani H, Yamazaki Y, Fujita M (1971) A neurophysiologic study of ketamine anesthesia in the cat. Anesthesiology 35:373
18. Ohtani M, Kikuchi H, Kitahata LM (1979) Effects of ketamine on nociceptive cells in the medial medullary reticular formation of the cat. Anesthesiology 51:414
19. Pfeifer G, Tauberger G, Schulte am Esch J (1981) Wirkungen von Ketamin auf den zentralen Sympathikus, die Atmung und den Kreislauf im Tierexperiment. Anästh Intensivther Notfallmed 16:154
20. Schwartz MS, Virden S, Scott DP (1975) Effects of ketamine on the electroencephalograph. Anaesthesia 29:135
21. Sebel PS, Flynn PJ, Ingram DA (1984) Effect of nitrous oxide on visual, auditory and somatosensory evoked potentials. Br J Anaesth 56:1403
22. Sparks DL, Corssen G, Aizenman B (1975) Further studies of the neural mechanism of ketamine-induced anesthesia in the rhesus monkey. Anesth Analg (Cleve) 54:189
23. Stöhr M, Dichgans J, Diener HC, Buettner UW (1982) Evozierte Potentiale. Springer, Berlin Heidelberg New York
24. Wong DH, Jenkins LC (1974) An experimental study of the mechanism of action of ketamine on the central nervous system
25. Yamada T, Muroga T, Kimura J (1981) Tourniquet induced ischemia and somatosensory evoked potentials. Neurology 31:1524
26. Zsigmond EK, Domino EF (1980) Ketamine – clinical pharmacology, pharmacokinetics, and current clinical uses. Anesth Rev 7:13

Ketamin als Analgetikum in der Notfallmedizin

M. Brandt und W. Dick

Als Analgesiemechanismus des Ketamins wird zusätzlich zur zentralen Wirkung die Hemmung der Schmerzfortleitung in der Substantia gelatinosa der Hinterhörner des Rückenmarks diskutiert [8].

Die Ketaminanalgesie wurde in einer Reihe klinischer Studien untersucht [3, 9].

- Slogoff et al. [11] verabreichten 1,5 mg/kg Ketamin i.m. bei Verbrennungspatienten.
- Hagelin u. Lundberg [5] verglichen 35 und 70 mg Ketamin mit 70 mg Meperidine postoperativ.
- Biesing u. Knuth [11] gaben 112 Traumatisierten zum 8minütigen Transport 0,5 mg/kg KG i.v. Ketamin.

Die genannten Dosierungen erzielten akzeptable Analgesie, keine Sedierung, keine Einschränkung der Atmung.

Ketaminanalgesie (1)

Autor	Patienten	Dosierung von Ketamin
Slogoff et al. 1974 [11]	Verbrennungspatienten – Verbandwechsel –	1,5 mg/kg KG i.m.
Hagelin u. Lundberg 1981 [5]	postoperativ bei Cholezystektomien, Gastrektomien	35 mg/kg KG i.m. 70 mg/kg KG i.m.
Biesing u. Knuth 1980 [1]	112 Traumatisierte	0,5 mg/kg KG i.v.

Pharmakodynamik, Nebenwirkungen und Dosisabhängigkeit wurden von Hirlinger u. Dick [6] mit 0,5 mg/kg KG bzw. 1,0 mg/kg KG Ketamin an 20 Traumatisierten intramuskulär geprüft; Hirlinger u. Pfenninger [7] prüften die i.v.-Analgesie mit 0,25 und 0,5 mg/kg KG. Innerhalb von 10 min war eine wirksame Analgesie erreicht, die in der Gruppe mit höherer Dosierung stärker ausgeprägt war. Die höhere Ketamindosierung schränkte jedoch das Bewußtsein stärker ein. Analog zur Analgesie lagen die höheren Plasmaspiegel mit 250 ng/ml in der Gruppe mit höherer Dosierung.

An 20 Patienten des Mainzer Notarztwagens haben wir in einer kontrollierten, prospektiven Studie die Pharmakokinetik und Pharmakodynamik einer analgetischen Ketamindosis untersucht [2]; betrachtet wurden die Dosierungen 0,5 und 1,0 mg/kg KG an 20 Traumatisierten im Schock.

Ketaminanalgesie (2)

Autor	Patienten	Dosierung von Ketamin
Hirlinger u. Dick 1984 [6]	20 Traumatisierte	0,5 mg/kg KG i.m. 1,0 mg/kg KG i.m.
Hirlinger u. Pfenninger 1987 [7]	20 Traumatisierte	0,25 mg/kg KG i.v. 0,50 mg/kg KG i.v.
Brandt M. 1988 [2]	20 Traumatisierte im Schock	0,5 mg/kg KG i.m. 1,0 mg/kg KG i.m.

Eingangskriterien waren bewußtseinsklare Patienten mit klinischen Anzeichen eines Schockgeschehens. Dies war definiert als Tachykardie mit Puls über 130/min, Blutdruckwerte systolisch unter 90 mm Hg und Störung der Mikrozirkulation.

In der 0,5-mg-Gruppe lag das Schmerzminimum bei 10 min. In der höheren Dosierung wurde die geringste Schmerzintensität nach 15 min erreicht und hielt länger an. In beiden Gruppen fiel nach 10 min eine leichte Schläfrigkeit auf; alle

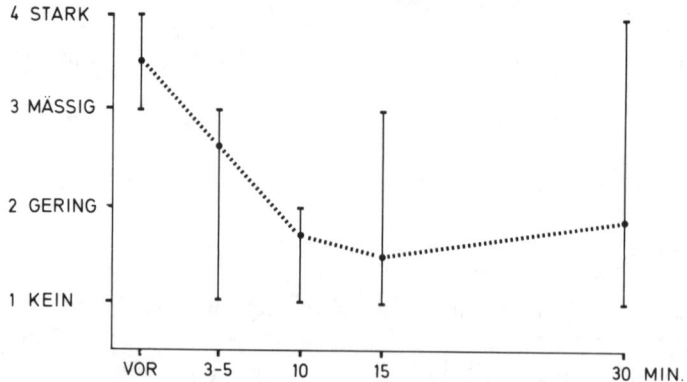

Abb. 1. Prüfung der analgetischen Wirkung von Ketanest bei traumatisierten Patienten im Schock (i. m.); Schmerzintensität: 1,0 mg Ketanest/kg (n = 10)

Patienten waren jedoch zu jedem Zeitpunkt ansprechbar (Abb. 1 und 2). Trotz Volumenersatz blieb der Blutdruck in beiden Gruppen fast unverändert, während der Puls in beiden Gruppen fiel. Eine Verbesserung der Mikrozirkulation zeigte sich in der höheren Dosierung.

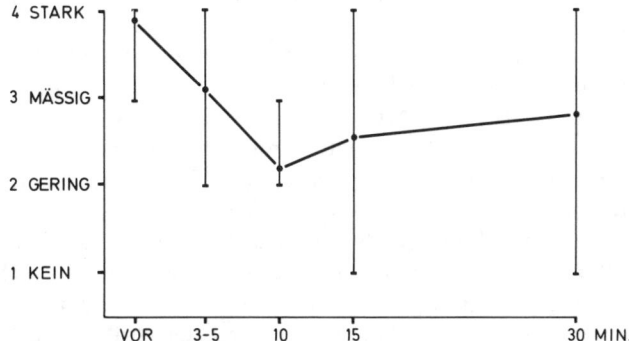

Abb. 2. Prüfung der analgetischen Wirkung von Ketanest (i.m.); Schmerzintensität: 0,5 mg Ketanest/kg (n = 10)

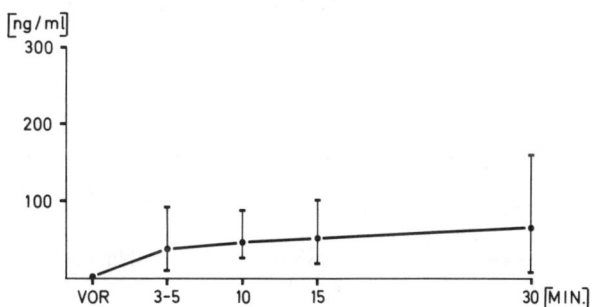

Abb. 3. Prüfung der analgetischen Wirkung von Ketanest (i.m.) bei traumatisierten Patienten im Schock; Plasmaspiegel: 0,5 mg Ketanest/kg (n = 10)

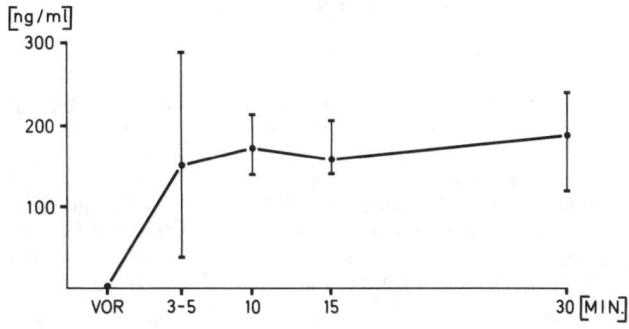

Abb. 4. Prüfung der analgetischen Wirkung von Ketanest (i.m.) bei traumatisierten Patienten im Schock; Plasmaspiegel: 1,0 mg Ketanest/kg (n = 10)

Die Plasmaspiegel bei niedriger Dosierung lagen mit 50 ng/ml wesentlich niedriger als erwartet. Bei der höheren Dosierung traten nach 5 min Plasmaspiegel von 150 ng/ml auf (Abb. 3 und 4).

Zusammenfassend läßt sich feststellen, daß auch bei Polytraumatisierten subanästhetische Dosen Ketamin resorbiert und über 10 min zu wirksamer Analgesie führen.

Ghoneim et al. [4] und Schürmann u. Pfenninger [10] bestätigen, daß psychomimetische Reaktionen nach Low-dose-Ketamin seltener sind, und daß – entgegen weitverbreiteter Meinung – nach Klinikaufnahme am wachen, voll orientierten Patienten ein Neurostatus erhoben werden kann.

Sollten dennoch therapiebedürftige Symptome auftreten, empfehlen sich geringe Dosen Benzodiazepine. Ein Vorteil von Ketamin gegenüber Opiaten ist bei begleitender Abdominalsymptomatik zu sehen. Der Wert der Ketaminanalgesie z. B. beim Infarktschmerz läßt sich z. Z. noch nicht abschließend beurteilen.

Für die Analgesie bei der Rettung Eingeklemmter ist eine Dosierung zwischen 0,5 und 1,0 mg/kg KG i.m. (im Durchschnitt 0,75 mg/kg KG) zu empfehlen.

Im Rettungsdienst dagegen, wo in der Regel ein Venenzugang verfügbar ist, ist die i.v.-Verabreichung von 0,25 mg/kg KG Ketamin angezeigt.

In Anbetracht der großen therapeutischen Breite kann bei Wiederauftreten der Schmerzen die gleiche Dosis bedenkenlos repetiert werden.

Literatur

1. Biesing C, Knuth P (1980) Ketanest als Transportanalgetikum. VII. World Congress of Anesthesiologists, Hamburg
2. Brandt MF (1988) Intramuskuläre Applikation von Ketamin zur Analgesie bei Polytraumatisierten am Notfallort – Analgesie und Kinetik. Dissertation, Universität Mainz
3. Clements JA, Nimmo WS (1981) Pharmacokinetics and analgesic effects of ketamine in man. Br J Anaesth 53:27–30
4. Ghonheim MM, Hinrich JV, Mewaldt SP, Petersen RC (1984) Ketamine: Behavioral effects of subanaesthetic doses. Anesthesiology 61/3A:390
5. Hagelin A, Lundberg D (1981) Ketamine for postoperative analgesia after upper abdominal surgery. Clin Ther 4:220–233
6. Hirlinger WK, Dick W (1984) Untersuchungen zur intramuskulären Ketaminanalgesie bei Notfallpatienten. II. Klinische Studie an traumatisierten Patienten. Anaesthesist 33:272–275
7. Hirlinger WK, Pfenninger E (1987) Intravenöse Analgesie mit Ketamin bei Notfallpatienten. Anaesthesist 36:140–142
8. Kitahata LM, Taub A, Kosaka Y (1973) Lamina-specific suppression of dorsal-horn unit activity by ketamine hydrochloride. Anesthesiology 38/1:4–11
9. Sadove MS, Schulman M, Hatano S, Fwevold N (1971) Analgesic effect of ketamine administered in subdissociative doses. Anesth Analg Curr Res 50:452–57
10. Schürmann W, Pfenninger E (1987) Haben psychomimetische Reaktionen nach Ketamin für die Notfallpatienten eine Bedeutung? Notfallmed 13:125–132
11. Slogoff S, Allen GW, Wessels JV, Cheney DH (1974) Clinical experience with subanaesthetic ketamine. Anesth Analg Curr Res 53:354–358

Veränderungen des intrakraniellen Drucks unter Ketamin beim Schädel-Hirn-Trauma

E. Pfenninger

Ketamin ist eine seit langer Zeit in der Notfallmedizin verwendete Substanz. Bevorzugt wird sie eingesetzt zur Narkoseeinleitung sowie -unterhaltung, bei größeren Blutverlusten oder gar im hämorrhagischen Schock. Die Anwendung von Ketamin bei Schädel-Hirn-Traumatisierten ist aber nach wie vor umstritten, da vielfach ein Anstieg des intrakraniellen Drucks (ICP) befürchtet wird. Hase u. Dick [1] zeigten jedoch schon 1980 an Einzelbeobachtungen, daß sich die Steigerung des intrakraniellen Drucks zumindest nicht immer reproduzieren läßt; Schalk u. List [4] vermuteten zur selben Zeit, daß niedrige Dosierungen den Hirndruck unbeeinflußt lassen.

Diese Diskrepanzen in der Literatur veranlaßten uns, die Auswirkungen sowohl notfallrelevanter als auch klinikorientierter Ketamindosen auf den normalen und erhöhten ICP zu untersuchen, und zwar sowohl bei normotoner Kreislaufsituation sowie auch im hämorrhagischen Schock.

Wir konnten dabei in tierexperimentellen Untersuchungen nachweisen, daß Ketamin unter kontrollierter Beatmung weder im hämorrhagischen Schock noch bei normotoner Kreislaufsituation zu einem Anstieg des ICP führt [2]. Unter Spontanatmung hingegen muß durch einen Anstieg des pCO_2 mit einer Steigerung des ICP gerechnet werden. Zwar kommt es bei normalem ICP-Niveau auch bei Spontanatmung zu keiner Veränderung des ICP, da die Erhöhung des pCO_2 durch Ketamin minimal ist, bei erhöhtem ICP jedoch kann durch die Vorschädigung des Gehirns Ketamin durch den pCO_2-Anstieg einen ICP-Anstieg bis hin zum Atemstillstand bewirken [3]. Da tierexperimentell gewonnene Ergebnisse aber nicht kritikfrei auf den Menschen übertragbar sind, untersuchten wir an kontrolliert beatmeten Patienten mit akutem Schädel-Hirn-Trauma das Verhalten des ICP nach Ketamingabe.

Dazu erhielten 12 Patienten unserer Intensivstation mit akutem Schädel-Hirn-Trauma unter kontrollierter Beatmung (pCO_2: $33 \pm 3,2$ mm Hg) insgesamt 48mal entweder 0,5 oder 1,0 mg/kg KG Ketamin i.v. Über einen Zeitraum von 10 min wurden die Herzfrequenz, der intrakranielle Druck und der arterielle Mitteldruck registriert, den zerebralen Perfusionsdruck berechneten wir als Differenz aus arteriellem Mitteldruck und intrakraniellem Druck.

Weder 0,5 noch 1,0 mg/kg KG Ketamin führten zu einer Änderung der Herzfrequenz des mittleren arteriellen Drucks. Unter 0,5 mg/kg KG Ketamin fiel der ICP von 7 ± 5 mm Hg auf 5 ± 5 mm Hg ab und verblieb bis zum Ende der Beobachtungszeit auf diesem Niveau. Nach 1,0 mg/kg Ketamin sank der ICP von 7 ± 6 mm Hg auf 6 ± 5 mm Hg in der 2. Minute, um dann auf 9 ± 8 mm Hg anzusteigen. Keine der Veränderungen war signifikant.

Aus unseren Gesamtuntersuchungen ziehen wir folgende Schlußfolgerungen:

1. Ketamin selbst weist keine hirndrucksteigernden Eigenschaften auf; auslösender Faktor für eine Steigerung des ICP ist der arterielle pCO_2.
2. Es kommt bei normalem ICP-Niveau unter Spontanatmung zu keiner Veränderung des ICP, da die Veränderungen des pCO_2 minimal sind und eine ausreichende kranielle Compliancereserve die minimalen pCO_2-Änderungen kompensiert.
3. Bei erhöhtem Hirndruck – ob ohne oder mit hämorrhagischem Schock – kann Ketamin unter Spontanatmung durch den pCO_2-Anstieg eine Erhöhung des ICP bis hin zum Atemstillstand bewirken. Die Gefahr der ICP-Erhöhung besteht unter Spontanatmung auch für niedrige Ketamindosierungen.
4. Dagegen kann unter kontrollierter Beatmung weder bei normalem noch bei erhöhtem Hirndruck eine Steigerung des ICP beobachtet werden. Dies gilt sowohl für normotone Blutdruckwerte als auch für den hämorrhagischen Schock.
5. Wir halten deshalb Ketamin in einer Dosierung von 0,5 bzw. 1,0 mg/kg KG für ein adäquates Einleitungsnarkotikum für schockierte polytraumatisierte Patienten mit akutem Schädel-Hirn-Trauma. Eine anschließende kontrollierte Beatmung ist jedoch unabdingbar.

Literatur

1. Hase U, Dick W (1981) Zum Verhalten des intrakraniellen Druckes bei Schädel-Hirn-Traumatisierten Patienten nach Ketaminapplikation. In: Dick W (Hrsg) Ketamin (Ketanest®) in Notfall- und Katastrophenmedizin. Perimed, Erlangen, S 77
2. Pfenninger E, Dick W, Grünert A, Lotz P (1984) Tierexperimentelle Untersuchungen zum intrakraniellen Druckverhalten unter Ketaminapplikation. Anaesthesist 33:82–88
3. Pfenninger E, Ahnefeld FW, Grünert A (1985) Untersuchungen zum intrakraniellen Druckverhalten unter Ketaminapplikation bei erhaltener Spontanatmung. Anaesthesist 34:191–196
4. Schalk HV, List WF (1981) Liquordruckentwicklung nach Ketamin. In: Dick W (Hrsg) Ketamin (Ketanest®) in Notfall- und Katastrophenmedizin. Perimed, Erlangen, S 71

Ketamin in der Notfallmedizin –
Besondere Indikationen bei polytraumatisierten
Patienten im Schock

K. Ellinger

Polytraumatisierte, sichtlich schwerstschockierte, jedoch oft wache Patienten, wären sicherlich nur äußerst unzureichend notfallmedizinisch versorgt, wenn sich der Notarzt lediglich um den Teil der Schocktherapie kümmert [1, 2], der uns als Volumenersatztherapie bekannt ist. Dabei werden häufig polytraumatisierten Patienten Analgetika und Anästhetika unnötig und gefährlich lange vorenthalten [9].

Neben einer kurzen, aber umfassenden Erstuntersuchung und einer adäquaten Volumentherapie nehmen Analgesie und Anästhesie kombiniert mit Frühbeatmung gerade beim Polytraumatisierten im Schock einen bevorzugten Platz ein.

Prinzipien adäquater notärztlicher Therapie Polytraumatisierter:

- adäquater Volumenersatz,
- sofortige Analgesie, Analgosedierung, Narkose,
- Intubation und Frühbeatmung.

Das therapeutische Ziel beim Einsatz von Analgetika und Anästhetika in der präklinischen Phase besteht darin, den Anteil, den Schmerz und Streß an der Bedrohung der Vitalfunktionen einnehmen, zu eliminieren [6] und manche Notfallmaßnahmen wie technische Rettung, Lagerung oder Reposition erst zu ermöglichen und wirksam zu unterstützen.

Welche Hauptprobleme stellen sich bei der notärztlichen Versorgung Polytraumatisierter im Schock?

Probleme bei der präklinischen Versorgung Polytraumatisierter im Schock:

- erhebliches Volumendefizit,
- Schmerz, Streß,
- fehlende objektive Parameter über Ventilation und Oxygenation,
- Begleitverletzungen wie Gesichtsschädelverletzungen,
- nur eingeschränkte Monitoringmöglichkeiten.

Zunächst besteht ein teilweise erheblicher, vom Notarzt meist unterschätzter Volumenmangel. Zusätzlich zu den sichtbaren und leicht zu diagnostizierenden Verletzungen können nicht sichtbare, jedoch schwere, zum hämorrhagischen Schock führende Begleitverletzungen (Beckenfrakturen, SHT, Bauchtrauma, Thoraxtrauma) bestehen [7, 8]. Ebenso kann beim Vorliegen eines Thoraxtraumas die respiratorische Funktion gestört sein. Der Großteil der Polytraumatisierten ist eingeklemmt und kann nicht, ohne iatrogene Schädigungen zu verursachen, sofort gerettet werden. Der oft wache Patient leidet unter teilweise stärksten Schmerzen und verspürt Todesangst.

Daraus ergibt sich, daß der Notarzt hinsichtlich seiner medikamentösen Therapiemöglichkeiten eingeschränkt ist. An ein Notfallanalgetikum und -anästhetikum müssen deshalb hohe Anforderungen gestellt werden [4, 10]:

- einfache Handhabung,
- rascher Wirkungseintritt,
- ausreichende Anästhesie und Analgesie,
- geringe respiratorische und kardiozirkulatorische Nebenwirkungen,
- gute Steuerbarkeit.

Diese strengen Anforderungen kann Ketamin gut erfüllen. In niedriger, subanästhetischer Dosis (0,25-0,5 mg/kg KG i.v.) wirkt Ketamin fast ausschließlich analgetisch.

Dosierung von Ketamin in der Notfallmedizin:

- niedrige Dosierung für Rettung und Transport:
  0,25-0,5 mg/kg KG;
- höhere Dosierung nur zusammen mit Intubation und Beatmung:
  0,5-2 mg/kg KG je nach Volumensituation;
- Kinder:
  1-3 mg/kg KG i.m.

Wirkung von Ketamin am ZNS:

- niedrige Dosierung:
  Patient bleibt wach, kooperativ, er wird evtl. somnolent, jedoch gute Analgesie;
- höhere Dosierung:
  Narkose (dissoziative Anästhesie).

Der Patient bleibt meist wach, selten tritt Somnolenz ein, Ansprechbarkeit und Kooperation sind erhalten, rückblickend besteht häufiger kurzfristige Amnesie. Bei niedrigen Ketamindosen kommt es zu keinen gravierenden Wirkungen auf das kardiovaskuläre System, während höhere Dosen zu einer zentralen sympathomimetischen Stimulation mit Herzfrequenz- und Blutdruckanstieg führen.

Wirkung von Ketamin auf das kardiovaskuläre System:

- niedrige Dosierung: kaum Veränderungen,
- höhere Dosierung: zentrale sympathikusvermittelte Kreislaufstimulation (Frequenz- und RR-Anstieg).

Diese Effekte erscheinen gerade beim traumatisch-hämorrhagischen Schock günstig, weil durch die sympathomimetische Stimulation ein Blutdruckabfall, der bei anderen Substanzen (Barbiturate, Opioide) erhebliche Ausmaße bei vergleichbaren Situationen annehmen kann, ausbleibt [9]. Trotz großer Kreislaufstabilität im Schock muß die initiale Ketamindosis drastisch reduziert und damit dem verminderten zirkulierenden Blutvolumen angepaßt werden [3].

Die Wirkung von Ketamin in niedriger Dosierung auf das respiratorische System ist gering, was den Einsatz beim eingeklemmten Polytraumatisierten zur technischen Rettung gestattet [4, 6].

Wirkung von Ketamin am respiratorischen System:

- niedrige Dosierung: kaum Veränderungen,
- höhere Dosierung:
   Veränderungen des Atemmusters, evtl. Atemdepression, CO_2-Akkumulation, Hypoxie, Bronchodilatation.

Nach erfolgter technischer Rettung muß jedoch jeder Polytraumatisierte aufgrund fehlender objektiver Parameter über Ventilation und Zirkulation noch an der Einsatzstelle intubiert und kontrolliert beatmet werden. Als Induktionssubstanz zur Intubation sowie zur Anästhesieführung eignet sich Ketamin unter Beachtung des reduzierten zirkulierenden Volumens sehr gut.

Aufgrund der besonderen Situation bei Kindern kann Ketamin ausnahmsweise sogar intramuskulär appliziert werden.

Zusammenfassend kann festgestellt werden: Die adäquate notärztliche Versorgung Polytraumatisierter im Schock erfordert zwingend die frühzeitige Analgosedierung bzw. Anästhesie. Unter Beachtung und Therapie der pathophysiologischen Veränderungen im Schock hat und behält Ketamin seinen Platz bei Analgesie und Anästhesie Polytraumatisierter im Schock.

Literatur

1. Bond AC, Davies CK (1974) Ketamine and pancuronium for the shocked patient. Anaesthesia 29:59
2. Dick W (1981) Ketamin (Ketanest®) in Notfall- und Katastrophenmedizin. Perimed, Erlangen
3. Dick W (1983) Ketanest (Ketamine). Notfallmedizin 9:847
4. Dick W, Gervais H (1986) Analgesie und Anästhesie bei Notfallpatienten. Anaesth Intensivmed 27:1–8
5. Gemperle M, Kreuscher H, Langrehr D (Hrsg) (1973) Ketamin: Neue Erkenntnisse in Forschung und Klinik. Springer, Berlin Heidelberg New York
6. Hirlinger WK, Pfenninger E (1987) Intravenöse Analgesie mit Ketamin bei Notfallpatienten. Anaesthesist 36:140–142
7. Klose R, Hartung HJ, Kotsch R (1982) Experimentelle Untersuchungen zur intrakraniellen Drucksteigerung durch Ketamine beim hämorrhagischen Schock. Anaesthesist 31:33
8. Pfenninger E, Marks A, Schmitz E, Ahnefeld FW (1987) Wie verhält sich der intrakranielle Druck nach Ketamingabe bei Patienten mit akutem Schädel-Hirn-Trauma? Notfallmedizin 13:472–481
9. Schürmann W, Pfenninger E, Ahnefeld FW (1984) Welche Rolle spielt Ketamin in der Notfallmedizin? Notfallmedizin 10:1435–1448
10. Sefrin P, Blumenberg D (1987) Medikamentöse Ausstattung des Rettungsdienstes. Ergebnisse einer Umfrage der AGBN zur Vorhaltung von Medikamenten im Notarzt- und Rettungswagen. Notarzt 3:109–146

Der notfallmäßige Einsatz von Ketamin beim beatmungspflichtigen Asthmaanfall

D. Schwender und L. Negri

Trotz intensiver, medikamentöser Therapie gelingt es in einigen Fällen nicht, einen schweren, akuten Asthmaanfall zu durchbrechen.

Um eine vitalbedrohliche Hypoxie abwenden zu können, gelten als Indikation zur Intubation und kontrollierten Beatmung:

- bereits eingetretener Herz-Kreislauf- und/oder Atemstillstand;
- arterielle Hypoxämie unter 50 mmHg mit ausgeprägter metabolischer Azidose;
- arterielle Hyperkapnie über 60 mmHg mit progredienter respiratorischer Azidose;
- zunehmende Atemerschöpfung mit Entwicklung von Somnolenz, Sopor, Koma.

Der Reiz durch Intubation und liegenden Endotrachealtubus sowie die kontrollierte Beatmung mit hohen Beatmungsdrucken stellen starke Auslöser und Verstärker akuter bronchopulmonaler Obstruktionen dar. Zur Anpassung des Patienten an die Beatmung sind daher ausreichende Anästhesietiefe und Muskelrelaxation von besonderer Wichtigkeit.

Zur Intubation geeignet sind die Einleitungsanästhetika Etomidat und Ketamin. Etomidat beeinflußt den bronchomotorischen Tonus nicht. Fehlende Analgesie und mögliche Nebennierenrindendepression bei Langzeitgabe erscheinen eher nachteilig. Ketamin bietet den Vorteil guter Analgesie, problemloser Langzeitgabe sowie eines in der Literatur wiederholt beschriebenen bronchodilatatorischen Effekts.

Tierexperimentelle in-vitro-Untersuchungen zeigen bei indifferenter Wirkung auf den basalen bronchomotorischen Tonus [10] eine Hemmung histamininduzierter [1, 2, 10, 11] und methacholininduzierter Bronchokonstriktion [4, 7, 10]. In einem in-vivo-Modell wird ein antigeninduzierter Bronchospasmus blockiert [5].

Als Wirkungsmechanismen werden eine direkte tracheobronchiale Relaxierung [4, 7], eine Freisetzung und Potenzierung endogener Katecholamine [3, 6], eine β-Stimulation [5] sowie eine kokainähnliche präsynaptische Hemmung der Wiederaufnahme von Katecholaminen [8] diskutiert.

Broncholytischer Effekt:

- direkte Relaxierung,
- Freisetzung und/oder Potenzierung endogener Katecholamine,
- β-Stimulation,
- Re-uptake-Hemmung von Katecholaminen.

Am Patienten ist ein Nachweis für eine broncholytische Wirkung des Ketamins bei der unumgänglichen Polypragmasie in der Therapie des Asthma bronchiale nur schwer zu erbringen. Zur Narkosebeatmung erhielten in einer eigenen Untersuchung [9] 16 Patienten, die wegen eines akuten Asthmaanfalls kontrolliert beatmet werden mußten, zusätzlich zur konservativen medikamentösen Therapie Ketamin (1–3,5 mg/kg/h) über Perfusor in Kombination mit intermittierenden Gaben eines Relaxans und eines Benzodiazepins.

Narkosebeatmung:

Ketamin (1–3,5 mg/kg/h; Perfusor)
+ Benzodiazepin ⎱
+ Muskelrelaxans ⎰ (intermittierend)

Anhalt für eingetretene Broncholyse waren Beatmungsdauer unter 12 h, dauerhafte Normalisierung des arteriellen pCO_2 innerhalb von 6 h sowie Steigerung der effektiven Compliance von Lunge und Thorax über +100% des Ausgangswerts.

Kriterien der Therapiewirksamkeit:

- Beatmungsdauer < 12 h,
- pCO_2 < 50 mm Hg, dauerhaft innerhalb der ersten 6 h,
- ΔC > +100% des Ausgangswerts innerhalb der ersten 6 h.

Von 16 Patienten mit anfänglich stark verminderter Compliance, also ausgeprägter bronchospastischer Komponente sowie anamnestisch nicht so schwerer Asthmaerkrankung, erfüllten 8 diese Kriterien. Die übrigen Patienten wiesen erheblich längere Beatmungszeiten auf (Tabelle 1).

Tabelle 1. Einteilung der Patienten nach Kriterien der Therapiewirksamkeit (Beatmungsdauer, Veränderung von pCO_2 und effektiver Compliance C innerhalb der ersten 6 h)

	Beatmungs-dauer	pCO_2 (0 h) [mmHg]	pCO_2 (6 h) [mmHg]	C (0 h) [ml/mbar]	C (6 h) [ml/mbar]
Gruppe I (n=8)	7,1 h (±4,1)	76 (±30,7)	33 (±5,3)	19,8 (±3,6)	44,5 (±11,2)
Gruppe II (n=6)	5,6 Tage (±4,5)	66 (±7,8)	46 (±8,8)	17,5 (±2,9)	33,8 (±15,5)
Gruppe III (n=2)	27 Tage	66,5	49,5	32	34

Wenn auch der Nachweis einer broncholytischen Wirkung des Ketamins damit nicht zu erbringen ist, so erwies sich die ausreichende Anästhesietiefe für Beatmung, Bronchialtoiletten und intermittierende fiberoptische Bronchoskopie mit gezielter Lavage bei allen Patienten als vorteilhaft.

Narkosebeatmung zur Toleranz von:

- Beatmung,
- Bronchialtoilette,
- intermittierender fiberoptischer Bronchoskopie mit gezielter Lavage.

Eine besondere Beachtung bei der Beatmung des Patienten mit akutem Asthma bronchiale sollte die Weaningphase finden. Gehäuft kommt es in dieser Phase bei flacher werdender Allgemeinanästhesie oder unter alleiniger Sedierung zu Rezidiven akuter bronchopulmonaler Obstruktionen, die zur Rückkehr auf die kontrollierte Beatmung zwingen. Da unter den von uns verabreichten Ketamindosen keine signifikante Atemdepression zu verzeichnen war, führten wir ein Narkoseweaning durch:

a) Narkoseweaning mit Ketamin (1–3,5 mg/kg/h; Perfusor), Benzodiazepin (intermittierend);
b) Narkoseweaning zur Verminderung von Rezidiven akuter bronchopulmonaler Obstruktionen.

Hierzu wurden die Ketamingaben bis zur Etablierung einer suffizienten Spontanatmung fortgesetzt. Mit Absetzen des Ketamins wurden die Patienten extubiert. Eine deutliche Rezidivverminderung in dieser Phase konnte so erzielt werden. Unter strenger intensivmedizinischer Überwachung beobachteten wir bei diesem Vorgehen keine Komplikationen.

Zusammenfassend gesagt, ist zur Durchführung einer Narkosebeatmung und eines Narkoseweanings Ketamin beim beatmungspflichtigen Asthmaanfall sinnvoll einsetzbar. Aufgrund der tierexperimentellen Befunde erscheint eine broncholytische Wirkung wahrscheinlich.

Literatur

1. Cabanas A, Souhrada JF, Aldrete JA (1980) Effects of ketamine and halothane on normal and asthmatic smooth muscle of the airway in guinea pigs. Can Anaesth Soc J 27:47–51
2. Chen CF, Tsou CT, Chow SY (1976) Effect of ketamine on the tracheobronchial trees of guinea pigs. J Formosan Med Assoc 75:456–462
3. Corssen G, Gutierrez J, Reves JR, Huber FC (1972) Ketamine in the anesthetic management of asthmatic patients. Anesth Analg 51:588–596
4. El-Hawary MB, Mossad B, El-Wahed SA, Tolba HM (1972) Effect of ketamine hydrochloride on tracheobronchial tree. M E J Anesth 3:445–450
5. Hirshman CA, Downes H, Farbood A, Bergman NA (1979) Ketamine block of bronchospasm in experimental canine asthma. Br J Anesth 51:713–718
6. Huber FC, Reves JR, Gutierrez J, Corssen G (1972) Ketamine: its effect on airway resistance in man. South Med J 65:1176–1180
7. Lundy PM, Godwey W, Colhoun EH (1974) Tracheal smooth muscle relaxant effect of ketamine. Br J Anesth 46:333–336

8. Lundy PM, Frew R (1981) Ketamine potentiates catecholamine response of vascular smoth muscle by inhibition of extraneural uptake. Can J Pharmacol 59:520–527
9. Schwender D, Djonlagic H (1985) Ketamin in der Respiratortherapie des akuten, therapie-resistenten Asthma bronchiale. Anaesthesist 34:181
10. Vitkun SA, Forster WM, Chang H, Bergfsky EH, Poppers PJ (1987) Bronchodilating effects of the anesthetic ketamine in an in-vitro guinea pig preparation. Lung 165:101–113
11. Wanna HT, Gergis SD (1978) Procaine, lidocaine and ketamine inhibit histamine-induced contracture of guinea pig tracheal muscle in vitro. Anesth Analg 57:25–27

Diskussion

E. Pfenninger

Analgosedierung

Dosierung und Medikamentenkombination

Ahnefeld: Welche Kombination und Dosierung von Medikamenten ist für die direkte postoperative Analgosedierung zu empfehlen?

Pfenninger: Wir verwandten eine Initialdosis von 500 µg/kg Ketamin plus 100 µg/kg Dormicum. Es zeigte sich dabei, daß als Repetitivdosis die Hälfte der Initialdosis ausreichend ist. Das Zeitintervall für eine Repetitivdosis wurde vom klinischen Eindruck her bestimmt.

Kreuscher: Wäre es nicht besser, durch eine kontinuierliche Infusion einen Wirkspiegel aufrechtzuerhalten, der den Eliminations- bzw. Verteilungshalbwertszeiten entspricht?

Pfenninger: Wenn eine längere Nachbeatmungszeit notwendig ist, ist es sicher angebracht, die Analgosedierung mit einer Bolusgabe zu beginnen und dann eine kontinuierliche Infusion anzuschließen. Wenn man andererseits jedoch nur so lange nachbeatmen will, bis die Vitalfunktionen stabilisiert sind, so ist es nach unserer Erfahrung für diesen relativ kurzen Zeitraum sinnvoller, nach dem von uns geschilderten Verfahren vorzugehen.

Ahnefeld: Welche Dosierung ist für eine längerfristige Analgosedierung im Intensivbereich zu empfehlen?

Köppel: Wir beginnen durchschnittlich mit 0,5–0,6 mg/kg/h Ketamin in Kombination mit Piritramid 0,035 mg/kg/h. Im Verlauf der intensivmedizinischen Behandlung kann diese Dosis dann möglicherweise reduziert werden. Patienten mit bekanntem Alkoholabusus bekommen zusätzlich eine Dauerinfusion mit Clonidin. Dies bringt eine enorme Ersparnis an sedierenden Medikamenten. Ansonsten muß der Bedarf individuell dem Patienten angepaßt werden. Speziell während einer Hämodialyse sollte der Patient nicht motorisch unruhig sein.

Kreuscher: Herr Emrich, beginnen Sie die Analgosedierung mit einer Loading-dose oder fangen Sie mit der Erhaltungsdosis an? Unsere Erfahrungen zeigen, daß ohne Loading-dose die Patienten häufig in einem Exzitationsstadium verbleiben.

Emrich: Wir beginnen mit einer Loading-dose und setzen dann die Ketaminzufuhr mit 1,7 mg/kg/h fort. Wir sehen darunter in der ersten Zeit einen relativen Anstieg der Plasmaketaminkonzentration, die allerdings während der nächsten Tage trotz ansteigender Infusionsrate wieder abfällt. Es ist hier eine gesteigerte Metabolisierung des Ketamins anzunehmen.

Kreuscher: Herr Emrich, konnten Sie zwischen der Ausdehnung der Verbrennung und der benötigten Ketamindosierung eine Korrelation feststellen?

Emrich: Wir sahen keinen Zusammenhang zwischen den angesprochenen Größen. Der Ketaminbedarf war gleich groß, ob die Patienten 70% verbrannte Körperoberfläche oder nur 30–40% verbrannte Körperoberfläche aufwiesen.

Auditorium: Ist damit zu rechnen, daß der Ketaminmetabolismus im Laufe einer zeitlich längeren Behandlung zunimmt, und ist ein Toleranzstadium zu befürchten?

Emrich: Eine Toleranzentwicklung haben wir nicht gesehen. Allerdings gibt es auch Patienten, die nur sehr schlecht auf Ketamin ansprechen. Ich erinnere mich an eine 120 kg schwere Frau, die selbst bei 300–400 mg/kg/h Ketamin keinerlei Wirkung zeigte. Es spielen sicher anamnestische Daten wie Alkoholabusus, Medikamentenmißbrauch und ein extremer Verteilungsraum eine gewisse Rolle.

Dick: In solchen Fällen würde ich empfehlen, nach einer initialen Bolusgabe eine Basisinfusion zu wählen und dann individuell, je nach Bedarf, Einzeldosen zusätzlich zu applizieren. Mit diesem Vorgehen haben wir sehr gute Erfahrungen gesammelt.

Auditorium: Muß Ketamin immer mit einem Benzodiazepinpräparat kombiniert werden?

Pfenninger: Ich habe in meinem Referat gezeigt, daß Joachimsson et al., die ihren Patienten zur postoperativen Nachbeatmung nur Ketamin gaben, immerhin bei einem Fünftel der Patienten zur Gewährleistung der Tubustoleranz den N. recurrens mit einem Lokalanästhetikum blockieren mußten. Ohne Kombination ist zu befürchten, daß Ketamin so hoch dosiert werden muß, daß es fast schon einer Mononarkose gleichkommt.

Hempelmann: Auch ich möchte vor einer Ketamin-Monoanalgesierung nur dringend warnen. Wir würden damit den Standpunkt von 1970 einnehmen, der dazu geführt hat, daß Ketamin wegen seiner psychomimetischen Nebenwirkungen aus der Erwachsenenanästhesie praktisch fast ganz verschwunden ist.

Auditorium: Könnte zum Dosierungsverhältnis der beiden Komponenten Analgetikum und Sedativum nochmals Stellung genommen werden?

Pfenninger: Für Ketamin und Dormicum zur unmittelbaren postoperativen Nachbeatmung beträgt das Gewichtsverhältnis ca. 5:1.

Emrich: Zur längerdauernden Analgosedierung – über Tage bis evtl. Wochen – muß wegen der unterschiedlichen Ausscheidungskinetik ein anderes Verhältnis gewählt werden. Wir verwenden bei der gleichen Medikamentenkombination ein Gewichtsverhältnis von 10:1. Die beiden Medikamente werden zusammen in einer Mischspritze aufgezogen.

Plasmaspiegel und katecholaminerge Stimulation

Auditorium: Gibt es eine gesicherte Korrelation zwischen den erreichten Ketaminplasmaspiegeln und dem Analgesiegrad des Patienten? Ich erinnere daran, daß wir vor Jahren an eine Korrelation zwischen Plasmaspiegel und Amnesie bei Benzodiazepinapplikation geglaubt haben. Wir wissen heute, daß das nicht stimmt.

Pfenninger: Wir haben bei traumatisierten Patienten, die in der Prähospitalphase zur Analgesie Ketamin bekamen, Plasmaspiegel und Analgesiewirkung verglichen. Zwar zeigte sich ein Zusammenhang zwischen der Höhe des Plasmaspiegels und dem Grad der Analgesie, jedoch war dieser Zusammenhang nur sehr lose. Dies könnte evtl. damit zusammenhängen, daß mit der heute zur Verfügung stehenden Meßmethodik nur die Gesamtkonzentration an Ketamin und nicht das wahrscheinlich wirksame freie Ketamin meßbar ist.

Dick: Vielleicht könnte man es so formulieren: Von einer bestimmten Höhe des Plasmaspiegels an kann man damit rechnen, daß eine analgetische Wirkung auftritt. Der Übergang von Analgesie zur Narkose ist jedoch anhand der Plasmaspiegel nur sehr schwer zu bestimmen.

Auditorium: Kann man durch die Ableitung der evozierten Potentiale eine Aussage zum Grad der Analgesie treffen?

Blanc: Die Ketaminanästhesie beruht darauf, daß die elektrische Aktivität im Kortex gehemmt wird, dagegen subkortikale Strukturen, wie Thalamus, limbisches System usw., eine Aktivitätszunahme zeigen. Unsere Patienten erhielten sowohl 0,5 mg/kg als auch 2,0 mg/kg Ketamin, und wir sahen dabei, daß Ketamin in beiden Fällen hoch gespannte, synchrone ϑ-Wellen verursacht. Da zwischen Analgesie und Narkose im EEG kein Unterschied zu sehen ist, glaube ich, kann man nicht von „subanästhetischer Dosis" sprechen, sondern anhand der klinischen Wirkung nur von einer niedrigeren und höheren Dosierung.

Auditorium: In der Literatur wird immer wieder angeführt, daß Ketamin zu einer Erhöhung des Katecholaminspiegels führen würde.

Emrich: Diese vereinzelten Berichte in der Literatur können heute sicher nicht mehr so stehenbleiben. Es gibt relevante Vergleichsstudien zwischen Halothan und Ketamin, wobei sich zeigte, daß sowohl die Plasmaadrenalin- als auch die Plasmanoradrenalinspiegel bei beiden Anästhetika einen gleichen Verlauf zeigten. Bei den beobachteten Blutdruck- und Herzfrequenzanstiegen konnte schon 1974 Ivankowich nachweisen, daß es sich um eine zentrale sympathomimetische Stimulation handelt. Es liegt also keine systemische Aktivierung des sympathischen Nervensystems vor.

Auditorium: Bei der Betrachtung der freien Fettsäuren, die vom Plasmakatecholaminspiegel abhängig sind, fanden wir zwischen Neuroleptanästhesie und Ketaminanästhesie keinen Unterschied. Unter Ketamin fielen die freien Fettsäuren bei der Aufnahme auf die Intensivstation sogar signifikant ab.

Pfenninger: In unserer Studie zur kurzfristigen postoperativen Nachbeatmung haben wir die freien Fettsäuren ebenfalls bestimmt. Es zeigte sich dabei, daß unter Ketamin-/Dormicumanalgosedierung kein Anstieg zu verzeichnen war. Im Gegensatz dazu kam es unter der offensichtlich nicht ausreichenden Analgesie durch die Lachgasnachbeatmung sehr wohl zu einem Anstieg der freien Fettsäuren.

Spezielle Indikationen und Kontraindikationen

Auditorium: Ist Ketamin auch zur Analgosedierung bei beatmungspflichtigen Patienten mit akutem Herzinfarkt geeignet?

Köppel: Das Medikament der ersten Wahl bei diesen Patienten wäre ein Benzodiazepin. Wir beginnen die Sedierung mit Flunitrazepam; Midazolam halten wir für nicht so gut geeignet, weil frühzeitig mit einer gewissen Gewöhnung zu rechnen ist. Wird eine längerfristige Beatmung notwendig, dann muß überlegt werden, ob nicht Ketamin zum Einsatz kommen soll.

Auditorium: Bekannt ist, daß Ketamin den pulmonalarteriellen Druck sowie den Sauerstoffbedarf des Herzens erhöht. Allgemein ist deshalb akzeptiert, daß sowohl ein Herzinfarkt wie auch eine koronare Herzerkrankung als Ausschlußkriterien für Ketamin gelten. Ist Ketamin zur Analgosedierung beim frischen Herzinfarkt wirklich tolerabel?

Köppel: Wenn man Ketamin mit einem Benzodiazepinpräparat kombiniert, dann halte ich dieses Vorgehen auch beim frischen Herzinfarkt für unbedenklich. Herr Tarnow hat gezeigt, daß sich mit einer Kombination Ketamin und Benzodiazepin die unerwünschten Nebenwirkungen neutralisieren lassen. Wir selbst beginnen bevorzugt mit einem Benzodiazepin und führen die Dauersedierung mit Ketamin/Benzodiazepin unter Pulmonalarteriendruck- und Herzzeitvolumenkontrolle durch.

Hempelmann: Ich glaube nicht, daß man diese Aussage unwidersprochen im Raum stehen lassen sollte. Wir haben in unserer Studie bewußt Patienten mit Herzinfarkt und koronarer Herzerkrankung ausgeschlossen. Man sollte bei diesem Patientengut so lange zurückhaltend sein, bis entsprechende Koronardurchblutungsuntersuchungen unter der Ketamin-Benzodiazepin-Kombination vorliegen.

Ahnefeld: Welche Ausschlußkriterien für die Ketaminanwendung zur Analgosedierung bestehen noch?

Adams: Wir haben als Ausschlußkriterien die manifeste Angina pectoris sowie den weniger als 6 Monate zurückliegenden Herzinfarkt festgelegt. Außerdem wurden Patienten mit einem systolischen Blutdruck über 180 mm Hg nicht in die Studie aufgenommen.

Ahnefeld: Wie verhält es sich mit dem akuten Schädel-Hirn-Trauma?

Adams: Wir haben Patienten mit Schädel-Hirn-Trauma 2. und 3. Grades aus Vorsichtsgründen ausgeschlossen. Jedoch können wir analog den Ergebnissen von Herrn Pfenninger bestätigen, daß bei entsprechender Hyperventilation durch Ketamin eine Steigerung des Hirndrucks nicht zu befürchten ist.

Notfallmedizin

Klose: Kann man den Ausführungen von Herrn Pfenninger entnehmen, daß Ketamin selbst in niedriger Dosierung atemdepressiv wirkt?

Pfenninger: Hier muß man differenzieren; bei einem Patienten ohne Schädel-Hirn-Trauma findet man auch bei einer Ketaminnarkose keinerlei Veränderungen des CO_2-Spiegels. Dies hat Altenmeyer z.B. für Kindernarkosen nachgewiesen. Besteht dagegen eine zerebrale Vorschädigung, wie beim akuten Schädel-Hirn-Trauma, dann führt diese Vorschädigung des Atemzentrums in Kombination mit Ketamin zu einem ganz massiven pCO_2-Anstieg. Dieser pCO_2-Anstieg seinerseits bewirkt einen erhöhten intrakraniellen Druck, eine weitere Depression des Atemzentrums ist die Folge.

Ahnefeld: Ich möchte nochmals die Notwendigkeit der Konstanthaltung des pCO_2 unterstreichen. Aber ist es nicht so, daß auch der arterielle Blutdruck nicht ansteigen darf? Es ist bekannt, daß zumindest in Teilen des traumatisierten Gehirns die zerebrale Autoregulation verlorengegangen ist, so daß es durch einen Blutdruckanstieg passiv zu einem Anstieg des intrakraniellen Drucks kommen kann.

Pfenninger: Beim polytraumatisierten, schockierten Patienten soll durch die Ketamingabe keineswegs eine Anhebung des arteriellen Blutdrucks angestrebt werden. Das Ziel besteht darin, durch die richtige Wahl der Dosis ein Absinken des arteriellen Blutdrucks zu vermeiden. Die Indikation zur Ketamingabe ist deshalb bei Patienten mit Schädel-Hirn-Trauma nur dann gegeben, wenn gleichzeitig ein hämorrhagischer Schock vorliegt. Für Patienten ohne hämorrhagischen Schock stehen andere Einleitungsnarkotika zur Verfügung.

Klose: Wir haben vor Jahren tierexperimentelle Untersuchungen an schockierten Hunden mit einer intrakraniellen Raumforderung durchgeführt. Dabei sahen wir, daß es durch die Volumenersatztherapie zu einem massiven intrakraniellen Druckanstieg kam. Entscheidend war jedoch, daß gleichzeitig der zerebrale Perfusionsdruck anstieg und somit die zerebrale Perfusion entweder gleich blieb oder sich sogar verbesserte. Eine zusätzliche Ketamingabe zur Narkoseeinleitung hatte sowohl auf den arteriellen Druck wie auch auf den intrakraniellen Druck nur vernachlässigbare Auswirkungen.

Auditorium: Herr Pfenninger, Sie haben in einer kürzlich erschienenen Publikation gezeigt, daß Patienten mit akutem Schädel-Hirn-Trauma nach einer Ketamingabe unterschiedlich Reaktionen des intrakraniellen Drucks gezeigt haben. Kann man Kriterien für die unterschiedlichen Reaktionen angeben?

Pfenninger: In der Publikation, die Sie ansprechen, wurde nicht Patienten im hämorrhagischen Schock, sondern normovolämischen Patienten Ketamin appliziert. Es besteht somit ein grundlegender Unterschied zum polytraumatisierten Patienten im hämorrhagischen Schock. Unter Normovolämie sahen wir unterschiedliche Reaktionen des intrakraniellen Drucks. Patienten, die nicht genügend sediert waren und einen erhöhten intrakraniellen Druck aufwiesen, zeigten nach der Gabe von Ketamin einen intrakraniellen Druckabfall. Dieser Abfall läßt sich durch eine bessere Sedierung erklären. Bei denjenigen Patienten, bei denen sich ein intrakranieller Druckanstieg zeigte, war dieser mit einem Anstieg des arteriellen Blutdrucks verbunden. Hier muß man annehmen, daß die zerebrale Autoregulation erheblich gestört war, so daß sich der arterielle Blutdruckanstieg direkt auf den intrakraniellen Druck auswirkte. Es muß deshalb nochmals betont werden, daß die Indikationen für Ketamin darin zu sehen sind, daß beim Patienten im hämorrhagischen Schock eine Blutdruckstabilisierung angestrebt wird. Ketamin ist nicht als Einleitungsnarkotikum bei Patienten mit akutem Schädel-Hirn-Trauma und normalem Blutdruck angebracht.

Ahnefeld: Die Polytraumatisierung eines Patienten beinhaltet Hypovolämie und hämorrhagischen Schock. Unter diesen Voraussetzungen haben wir bei gleichzeitiger kontrollierter Beatmung tierexperimentell nachweisen können, daß kein Hirndruckanstieg stattfindet. Wenn man als Alternative Benzodiazepine oder Barbiturate zur Narkoseeinleitung verwenden würde, so käme es durch den massiven Blutdruckabfall mit Sicherheit zu einer drastischen Reduzierung der zerebralen Durchblutung.

Auditorium: Könnte man anstelle von Ketamin andere Analgetika beim Patienten mit schwerem Schädel-Hirn-Trauma verwenden?

Dick: Wenn man anstelle von Ketamin ein anderes Analgetikum bei erhaltener Spontanatmung einem Patienten mit akutem Schädel-Hirn-Trauma verabreichen würde, dann könnte man genau den gleichen Effekt der intrakraniellen Drucksteigerung beobachten. Entscheidend ist nicht, was man appliziert, sondern wie man durch zusätzliche Maßnahmen – Intubation, kontrollierte Hyperventilation usw. – entsprechende Randbedingungen schafft.

Köppel: Eine Analgesie beim Patienten mit akutem Abdomen kann erhebliche Probleme aufwerfen, da dadurch die Symptome eines stumpfen Bauchtraumas verschleiert werden. Welche Erfahrungen liegen hierüber vor?

Ahnefeld: Diese Diskussion zog sich über Jahrzehnte hin. Es stehen heute moderne diagnostische Methoden zur Verfügung, wie z.B. die Bauchraumlavage, durch die mit absoluter Sicherheit eine intraabdominelle Blutung erkannt werden kann. Auf der anderen Seite ist eine ausreichende Schmerzbekämpfung eine Conditio sine qua non für den polytraumatisierten Patienten. Hierbei ist eine ausreichende Gabe von Analgetika unabdingbar. Da jedoch hierunter mit einer Atemdepression zu rechnen ist, bedeutet dies auch, daß polytraumatisierte Patienten mit akutem Abdomen intubiert und beatmet werden müssen.

Auditorium: Bei einer Analgesie mit Ketamin sehen wir keine Atemdepression. Früher galt dies als Vorteil, jetzt wird zusätzlich die Intubation und Beatmung gefordert.

Pfenninger: Hier muß man zwischen Patienten mit akutem Schädel-Hirn-Trauma und nicht Schädel-Hirn-traumatisierten Patienten unterscheiden. Ein Patient mit akutem Schädel-Hirn-Trauma muß bei der Gabe von atemdepressiv wirkenden Medikamenten künstlich beatmet werden. Patienten ohne Schädel-Hirn-Trauma, die einer Analgesie bedürfen, atmen nach einer Low-dose-Ketamingabe spontan. Hier ist ein Anstieg des pCO_2 nicht zu befürchten.

Ahnefeld: Ich sehe die Indikation zur Intubation und kontrollierten Beatmung nicht nur beim akuten Schädel-Hirn-Trauma, sondern auch beim Thoraxtrauma; ca. 70% der polytraumatisierten Patienten haben ein Thoraxtrauma und hierfür gilt, daß allein aus der Notwendigkeit ausreichender Schmerzbekämpfung eine Narkose eingeleitet werden sollte.

Auditorium: Wir haben unter Ketamingabe Atemzwischenfälle gesehen, die mit einer Zyanose einhergingen und nur durch die Injektion eines starken Hypnotikums zu beheben waren. Wie ist das zu erklären?

Klose: Als wir vor Jahren bei Verbrennungspatienten Ketaminmononarkosen durchführten, sahen wir dieses Phänomen ebenfalls. Es war immer ein Anzeichen dafür, daß die Narkose zu flach war, durch eine Ketaminnachinjektion ließ sich dieser Zustand beheben.

Auditorium: Im hämorrhagischen Schock kann durch Ketamin ein Blutdruckabfall auftreten. Ist dies ein kreislaufdepressiver oder ein myokarddepressiver Effekt?

Pfenninger: Wenn im hämorrhagischen Schock Ketamin zu hoch dosiert wird, so ist eine massive Kreislaufdepression zu beobachten. Dies kann schon im schweren hämorrhagischen Schock bei der Gabe von 1 mg/kg Ketamin beobachtet werden. Ob dies auf eine ungünstige Entwicklung des myokardialen Sauerstoffverbrauchs zurückzuführen ist, kann ich nicht beantworten.

Ahnefeld: Entscheidend ist, daß im schweren hämorrhagischen Schock der Verteilungsraum für Ketamin erheblich vermindert ist und daß deswegen bei normaler Dosierung erheblich höhere Plasmaspiegel auftreten. Die Reduzierung der Dosis ist deshalb im hämorrhagischen Schock unabdingbar.

Auditorium: Ist bei einem Status asthmaticus Ketamin immer wirksam oder ist auch mit Versagern zu rechnen?

Schwender: Die Therapie beim Status asthmaticus ist oftmals polypragmatisch. Wenn eine Intubation nicht mehr vermeidbar ist, so empfiehlt sich die Gabe von Ketamin. Natürlich ist nicht immer nachvollziehbar, wenn sich nach der Intubation eine Besserung des Bronchospasmus zeigt, welches Medikament nun letztendlich als ursächlich dafür angesehen werden muß. Ansonsten gibt es Einzelfallberichte seit 15 Jahren, wo zumindest ein zeitlich wahrscheinlicher Zusammenhang zwischen der Gabe von Ketamin und der Besserung der Bronchospastik anzunehmen ist.